DEUTSCHLAND

Lieber Walter,

Einen lieben Gruß und
alles Güte züm

55. Gebürdstag

wünschen Dir

Mütter u. Vater

KÜCHEN DER WELT

DEUTSCHLAND

REINHARDT HESS

Originalrezepte und Interessantes
über Land und Leute
Rezeptfotos: FoodPhotography Eising

Dänemark
Ostsee
Nordsee
Schleswig-Holstein
Rostock
Mecklenburg-
Vorpommern
Hamburg
Bremen
Nördliches
Niedersachsen
Pol
Niederlande
Hannover
Berlin
Südliches
Nieder-
sachsen
Brandenburg
Sachsen-
Anhalt
Nordrhein-Westfalen
Düsseldorf
Leipzig
Köln
Erfurt
Dresden
Hessen
Thüringen
Sachsen
Belgien
Rheinland-
Pfalz
Wiesbaden
Mainz
Luxemburg
Tschechische Republik
Saarland
Bayern
Frankreich
Baden-
Württemberg
München
N
0
50
100 km
Schweiz
Österreich

INHALT

DEUTSCHLAND: ERLEBEN UND GENIESSEN

Deutschland, dieses wunderschöne Land, ist voller reizvoller Gegensätze: Meer und Gebirge finden sich ebenso wie herbe Heidelandschaft und dichte Wälder. Gehen Sie mit uns auf Entdeckungsreise. Wenn man dem vielbesungenen Rhein als Leitlinie auf seinem Weg durch Deutschland folgt, so führt er den Reisenden vom Bodensee mit seinem milden, fast mediterranen Klima nach Westen, dann nach Norden durch die Oberrheinische Tiefebene, wo Wein und Spargel gedeihen. Bei Mainz und Wiesbaden knickt er ab – nach rechts blickend ahnt man die Skyline der Bankenmetropole Frankfurt – und zwängt sich hinter Rüdesheim durch Hunsrück und Taunus nach Nordwest durch eine Landschaft, die bis heute ihren romantischen Zauber bewahrt hat: Steile Weinberge mit tiefen Seitentälern, reizende Städtchen und Burgruinen, dahinter verschwiegene Mittelgebirge prägen die Gegend. Diese Idylle bildet einen krassen Gegensatz zur Industrieregion des Ruhrgebiets, das sich mittlerweile vom Kohle- und Stahlrevier zum Technologiezentrum wandelt. Viele Facetten Deutschlands können Sie auf dieser Reise erleben. Doch der Bogen der natürlichen, so unterschiedlichen Landschaften spannt sich von der inselreichen Nordseeküste mit ihrer sanftgewellten Dünenlandschaft und der teils sandigen, teils wild zerklüfteten Ostseeküste über die dichten Wälder der Mittelgebirge bis hin zu den imposanten Alpen. Noch immer sind viele Gebiete Deutschlands ländlich geprägt, die Lüneburger Heide, die Mecklenburger Seenplatte, der von Wasseradern durchzogene Spreewald, der Harz und die Mittelgebirge bis zum Naturpark Bayerischer Wald sind von einzigartiger Schönheit. Die pittoreske Landschaft der Schwäbischen und Fränkischen Alb mit schroffen Felsen und weich geschwungenen Hügeln und natürlich die mächtigen Alpenkämme ziehen nicht nur Touristen aus dem Ausland an. Märchenhafte Schlösser und Burgen, die gewaltigen Kirchen und Klöster aus vergangenen Jahrhunderten sind ebenso interessant wie die großen Städte mit ihren zahlreichen kulturellen Attraktionen und vielfältigen Freizeitmöglichkeiten. Ob Sie im Meer baden oder den Rennsteig im Thüringer Wald erwandern, Skifahren oder sich in Heilbädern entspannen wollen, in Deutschland ist alles möglich.

So vielfältig wie die Landschaft sind die Spezialitäten, die es in den einzelnen Regionen zu entdecken gibt: Weißwürste und Schweinsbraten, Knödel und Klöße, Wild- und Fischgerichte, Eintöpfe und Aufläufe, Spargel und Schinken, nicht zuletzt die unzähligen Wurst- und Brotsorten.

Nicht immer ist es leicht, Grenzen zu finden, denn oft ähneln sich die Lieblingsgerichte weit auseinander liegender Regionen sehr. Darauf wird in den Rezeptkapiteln eingegangen, die nach der üblichen Speisenabfolge aufgebaut sind. Statt aufwendiger Menüs gibt es meist eine Suppe und ein Hauptgericht, dafür wird der Tag öfter durch kleine Zwischengerichte angenehm unterbrochen. Eintöpfe sind besonders beliebt und typisch für die bäuerliche Küche, die mit wenig Zeit und Aufwand rechnen mußte. Alle Originalrezepte sind leicht verständlich beschrieben und können auch von Ungeübten problemlos nachgekocht werden. Getränkehinweise, Informationen und Tips zu den Speisen und verwendeten Produkten runden die Kapitel ab. Vorschläge für typische Menüs finden Sie nach dem Rezeptteil. Am Schluß des Buches verrät Ihnen ein anregendes Glossar wichtige Begriffe rund um die deutsche Küche.

Wenn Sie Ihre Gäste so richtig verwöhnen wollen, denken Sie daran, daß die einfache Grundregel der deutschen Küche lautet: das Beste auf natürlichste Weise zur rechten Jahreszeit auf den Tisch zu bringen.

LAND & LEUTE LADEN EIN...

Deutschland ist ein Flickenteppich von Landschaften, geprägt von einer wechselvollen Geschichte und beeinflußt von den Kulturen der angrenzenden Nachbarstaaten. Das Land erstreckt sich über mehrere Klimazonen vom kühlen, regenreichen Norden über die fast mediterrane südliche Rheinebene bis hin zu den rauhen Gebirgslagen der Alpen mit ihren warmen Sommern und klirrend kalten, schneereichen Wintern und bietet viel Abwechslung. Dieser Abwechslungsreichtum spiegelt sich auch in den Anbaumöglichkeiten und damit natürlich in den Kochtöpfen der einzelnen Regionen wider. So ist die deutsche Küche ebenso vielfältig wie die Landschaften Deutschlands, wie die vielen Dialekte und die interessanten Menschen des Landes. Bodenständige, deftige Gerichte der ländlichen Küche sind genauso typisch wie raffinierte und feine Speisen, die sich besonders in den großen weltoffenen Hafenstädten und exklusiven Kurorten Deutschlands entwickelten.

In Hamburg und in Mecklenburg-Vorpommern mit seinen vielen Seen finden sich Fisch und Meeresfrüchte am häufigsten in den Kochtöpfen. Das ist an Niedersachsens Küste nicht anders; im Landesinnern werden dagegen frische und geräucherte Würste am meisten geschätzt, und im Winter beherrscht ein Gemüse die Speisenkarte: Grünkohl. Viel Gemüse, aber auch eine »jut jebratene Jans« findet man in der Mark Brandenburg.

Die abgelegeneren Mittelgebirgsregionen sind oft von landwirtschaftlichem Reichtum ausgeschlossen. Sie zeigen entsprechend eine einfachere, sparsamere Küche, in der die Kartoffel im Mittelpunkt steht. Deshalb gibt es auch in den ländlichen Küchen von Rheinland-Pfalz, Saarland, Hessen, Thüringen und Sachsen so viele Gemeinsamkeiten, daß sie hier zu einer großen kulinarischen Region zusammengefaßt werden. Im milden Rheinland, das für seine Weine bekannt ist, öffnen vielerorts die Winzer nach der Weinlese ihre Tore und bieten herzhaften Imbiß zu jungem Wein. Das ebenfalls milde Klima Baden-Württembergs läßt köstliches Obst und Gemüse und natürlich auch Weinreben wachsen. Die Winzer laden mit herzlicher, aufgeschlossener Art das ganze Jahr zu Weinproben ein. Baden lockt vor allem mit Spargelgerichten, Schwaben bietet die köstlichen Maultaschen und Spätzle.

In Bayern mit seinen fruchtbaren Böden wird Hopfen und Getreide angebaut, beides ist besonders wichtig fürs Bierbrauen. Eine »Maß«, der erfrischende Liter Bier, in einem Biergarten oder im Hofbräuhaus ist ein Muß für jeden Freund der bayerischen Gemütlichkeit.

Der Leuchtturm von Westerhever liegt etwa 50 km südwestlich von Husum in der Landschaft Eiderstedt.

Hamburg und Schleswig-Holstein

Hamburg, das Tor zur Welt, wurde am Unterlauf der Elbe als sicherer Handelshafen gegründet. Ursprünglich diente er Lübeck, damals die reichere Stadt an der Ostsee, als Nordseehafen, von dem aus sich die Welt erschließen ließ. Aus dieser Zweckgemeinschaft entstand schließlich der Bund der Hanse. Tradition und Weltoffenheit kennzeichnen die Hanseaten, die kaufmännische Verbindungen mit den Überseeländern hielten und die jungen Kaufmannssöhne nach Süd- und Mittelamerika, nach Asien und Indien schickten, von wo sie nicht nur Aufträge, sondern auch fremdländische Rezepte mitbrachten. So entwickelte sich früh eine Vorliebe für exotische Gewürze und Curry, und es verwundert nicht, daß es hier sogar ein Gewürzmuseum gibt. Die historische Speicherstadt auf der Brookinsel mit ihren prachtvollen Backsteingebäuden, in denen Tee, Kaffee und andere »Kolonialwaren« gelagert wurden, kann von kleinen Booten aus besichtigt werden. Sehenswert ist auch die Großmarkthalle, die größte Europas, von der aus ein Großteil Norddeutschlands beliefert wird.
In der Küche macht sich der Einfluß des nahen Meeres bemerkbar, besonders beliebt sind Suppen mit Fischen wie die bekannte Aalsuppe, aber auch Suppen mit Austern, Krebsen oder Muscheln. Bei der reichen Auswahl der Fischmärkte war es schon früher üblich, zweimal in der Woche ein Fischgericht zu servieren.
Beliebte Feste sind der Hafengeburtstag (Anfang Mai) und das »Hummelfest« (Juli/August), ein großer Jahrmarkt.

Um sich den Hamburger Hafen richtig ansehen zu können, sollten Sie eine Hafenrundfahrt mit dem Boot machen.

Schleswig-Holstein, zwischen Helgoland im Westen und Fehmarn im Osten, zwischen Hamburg und Dänemark gelegen, wurde geprägt von den Gletschern der Eiszeit und dem Meer. An die weite und fruchtbare Marsch am Wattenmeer der Nordseeküste mit Weizenanbau und Viehzucht schließen sich magere Sandböden an, auf denen genügsamer Buchweizen, heute aber vorwiegend Roggen angebaut werden. Ostholstein ist das Land der adligen Güter, eine hügelige Landschaft mit Weiden und Äckern auf schweren Lehmböden. Zur Ostseeküste hin schneiden Flußläufe tief ins Land ein und bilden die Förden mit lebhaften Häfen und bunten Badeorten. Die Küche ist bodenständig und beruht auf dem, was Weiden, Äcker und Gärten hergeben. Deftige, ja derbe Gerichte, zu denen reichlich Fett genommen wird, werden am liebsten gegessen. Milch und Butter, Mehl, Grütze und Graupen spielen neben Schweinefleisch und Speck wichtige Rollen. Gerühmt wird der kernige Katenschinken, den Sie sich unbedingt mit nach Hause nehmen sollten. Eigenständig ist die süß-herbe Geschmacksrichtung, »broken Söt«, gebrochene Süße, genannt, die sich aus der Verbindung von Räuchergeschmack und süßen Früchten, Sirup oder Zucker ergibt, sowie die Zubereitung von mit Milch gedickten, sämigen Gerichten, hier »stoven« oder »stoben« genannt.

Mecklenburg-Vorpommern

Von der Lübecker Bucht über die Kreidefelsen der Insel Rügen bis zum Oderhaff erstrecken sich die Landschaften Mecklenburgs und Vorpommerns. Buchten und vorgelagerte Inseln, viele Seen und sanfte Hügel charakterisieren dieses Land. An der Küste werden die Meeresfische, im Hinterland die Süßwasserfische geschätzt, die aus den unzähligen Gewässern der Mecklenburger Seenplatte geangelt werden. Hering, Flunder und Heilbutt gehören genauso zu den Spezialitäten wie gespickter Hecht.
Die enge Durchdringung von Wasser und Land, besonders bei den vielen Inseln und Halbinseln, ist typisch für Mecklenburg-Vorpommern. Die Menschen dieses alten Bauernlandes sind bedächtig und gelassen, typisch ist ihr Sinn für einen nachdenklichen Humor. Die Küche zeigt sich deftig, bodenständig und betont, wie die in Schleswig-Holstein, das Hausgemachte. Neben Fisch sind Gans und Schwein am beliebtesten, begleitet von der Kartoffel. Zu schweren Gerichten wird hier wie auch in Schleswig-Holstein am liebsten Bier getrunken und harte Sachen »gekippt«: ein Kornbranntwein oder ein »Köhm«, ein Kümmelschnaps.

Die Giebelhäuser in Rostocks Altstadt werden von der gotischen Marienkirche überragt.

Nahe dem Seebad Binz auf der Insel Rügen wandern Gänse durch eine der für Mecklenburg-Vorpommern so typischen Alleen.

Greetsiel hat einen malerischen kleinen Hafen.

Diese Schmucktür in Jork wird nur zur Hochzeit und bei einem Todesfall geöffnet.

Nördliches Niedersachsen

Meer, Watt, Wind und Wolken im Westen, flache melancholische Landschaft aus Heide und Moor im Osten – der nördliche Teil des Bundeslandes Niedersachsen vereint so unterschiedliche Gebiete wie Ostfriesland und die Lüneburger Heide. Besonders im Sommer ist Ostfriesland mit seinen großen Inseln, die malerisch aufgereiht vor der Küste liegen, ein beliebtes Ferienziel. Lange Sandstrände und hohe Dünen entlang des Meeres laden zum Erholen ein. Hier finden Sie noch verträumte Dörfer, Windmühlen, reetgedeckte Bauernhäuser inmitten grüner Weiden, auf denen schwarzbunte Kühe grasen, und »Knicks«, die niedrigen Hecken, die als Windschutz um die Felder angepflanzt wurden.
Ganz anders sieht es im östlichen Teil Niedersachsens aus. Flache, weite Heidelandschaft mit bizarr geformten Wacholderbüschen, von Birken gesäumten Sandwegen und geheimnisvollen Moorgründen, soweit das Auge reicht. Besonders im Spätsommer, wenn das Heidekraut rosa bis violett blüht, sollten Sie sich diese reizvolle Gegend ansehen.
Die Küstenbewohner und die Heidebauern haben eines gemeinsam: eine starke Bindung an die Heimat und an die Gemeinschaft. Die Küstenbewohner ringen seit jeher mit dem Meer um ihr Land, das die Nordsee ihnen bei Flut wieder wegzunehmen droht. Und auch bei den Siedlern, die einst die Moorgebiete erschlossen haben, ist der zähe Kampf um die Kultivierung des Bodens nicht in Vergessenheit geraten. In beiden Gebieten wird entsprechend gutes Essen sehr geschätzt.
An der Küste spielt natürlich Fisch in jeder Form eine große Rolle. Muscheln und sogar Austern werden gezüchtet, und noch immer findet man Kutter, die

frisch gekochte Nordseekrabben, hier Granat genannt, direkt vom Schiff verkaufen. Die Kühe auf den sattgrünen Weiden im Landesinneren liefern reichlich Milch – Ausgangsprodukt für Butter und Käse, die die herzhafte und deftige Küche prägen.

Bremen

Bremen, das mit dem etwa 50 Kilometer weiter nördlich gelegenen Bremerhaven Deutschlands kleinstes Bundesland bildet, ist eine bedeutende Hafenstadt. Sie liegt, ähnlich wie Hamburg, weit von der Küste entfernt am Unterlauf eines Flusses, der Weser. Handel und Schiffahrt sind die Stützen des Wirtschaftslebens der Stadt. Waren aus Übersee wie Baumwolle, Kaffee, Tabak und exotische Lebensmittel aus aller Welt werden hier umgeschlagen. Entspreched ist die Küche der Stadt anspruchsvoller, raffinierter als auf dem Land. Ein Beispiel ist das Bremer Kükenragout mit Stubenküken, die früher im Winter am warmen Ofen für die reichen Bürger aufgezogen wurden. In Bremen wird gutes Essen auch gerne mit Festen und Feiern verbunden. Berühmt ist die Bremer Eiswette, die jedes Jahr am 6. Januar wiederholt wird. Ein Schneider mit Bügeleisen und ein Notar mit Zylinder müssen prüfen, ob die Weser für die Schiffahrt frei oder ob sie zugefroren ist. Zum anschließenden Essen wird die Prominenz von Bremen und alles, was Rang und Namen hat, eingeladen.
Ebenso traditionell ist die »Schaffermahlzeit« im Februar, die ursprünglich zur Wiederaufnahme der Seefahrt im Frühjahr gefeiert wurde. Den wichtigen Leuten aus Wirtschaft und Politik wird nach alter Tradition Braunkohl mit Pinkel serviert. Das ist Grünkohl, der in ganz Niedersachsen im Winter eine große Rolle spielt, und darin gegarte Grützwurst, nach dem »Pinkeldarm« benannt, in den sie abgefüllt wird. Ab dem ersten Frost geht es auf zu großen Kohl- und Pinkelfahrten. Die Ausflüge führen zu urigen Gasthäusern, wo der duftende Kohl mit Wurst serviert wird. Unterwegs muß gegen die Kälte natürlich kräftig mit Kornschnaps, auch »ostfriesischer Landwein« genannt, eingeheizt werden.

Das Naturschutzgebiet Lüneburger Heide umfaßt 20 000 Hektar und ist für Autos tabu. Im Spätsommer blüht hier das Heidekraut.

Die alte Herzogstadt Celle hat bis heute ihren Residenzcharakter bewahrt. In der Altstadt steht ein Fachwerkhaus neben dem anderen.

Nordrhein-Westfalen und südliches Niedersachsen

Der südliche Teil Niedersachsens und Nordrhein-Westfalen sind in jeder Hinsicht abwechslungsreich. Industriezentren wie Hannover, Braunschweig, Wolfsburg und das Ruhrgebiet gehören ebenso zu der großen Region wie weite Getreidefelder, bewaldete Bergzüge und Kurorte mit heilkräftigen Quellen wie Bad Salzuflen, Bad Pyrmont, Bad Salzdetfurth – die mineralreichen Wässer sind bis Magdeburg zu finden. Besonders in den Industriegebieten haben sich Menschen aus allen Regionen und Ländern niedergelassen. So ist die Küche zwar einfach, aber bunt aus mitgebrachten Traditionen gemischt. In den Bergarbeitergebieten werden zum Beispiel Stallhasen gehalten, die »Rennpferde des Bergmanns« genannt, und Sauerkrauteintöpfe gekocht, deren Rezepte von Schlesiern und Polen beigesteuert worden sind.

Das nördliche Rheinland, besonders Köln und Düsseldorf, feiert am ausgiebigsten den Karneval mit endlos langen »Rosenmontagsumzügen«, bei denen Ereignisse aus Politik und Zeitgeschehen »auf die Schippe genommen« werden. Die beiden Städte sind aber auch rund ums Jahr einen Besuch wert. Internationale Messen locken Besucher aus aller Welt an. Wer sich für Kunst interessiert, kommt vor allem in Köln auf seine Kosten. Vom Römisch-Germanischen Museum über den mittelalterlichen Dom bis zur zeitgenössischen Gemäldesammlung spannt sich der historische Bogen. Nicht weniger reizvoll dürfte ein Besuch im niedersächsischen Wolfenbüttel sein, das 300 Jahre lang die Residenz der Herzöge von Braunschweig war. Neben fürstlichen Bauten blieben mehr als 500 Fachwerkhäuser von Bediensteten und Kaufleuten erhalten.
In den ländlichen Gebieten beider Bundesländer gelten die Bewohner oft als konservativ, gerade auch beim Essen, als schwer zugänglich und gar als sturköpfig. Sie lieben ihre eigene, deftige Küche, oft steht der Eintopf im Mittelpunkt, und sie sind zurückhaltend gegenüber neuen Rezepten, Produkten und Kochgewohnheiten.
Dabei kommen hier so berühmte Spezialitäten her wie der Westfälische Schinken, der Steinhäger, Braunschweiger Mettwurst, das »Kölsch« ebenso wie das Dortmunder Bier und das westfälische Altbier, der dunkle Pumpernickel wie das rheinische Schwarzbrot und das Paderborner Landbrot. Ohnehin spielen das Schwein und die vielen frischen und geräucherten Wurstwaren eine wichtige Rolle.
Im Herbst ist hier die Zeit der Kirch-

weih- und Kirmesfeste, und es feiern die Schützenvereine, die besonders im Sauerland und im Münsterland zu finden sind. Bei der Liebe zu großen Festen ist es nicht verwunderlich, daß reiche Suppen mit vielen Einlagen und der für viele Gäste geeignete Sauerbraten hier ihren Ursprung haben.

Sachsen-Anhalt

Das junge Bundesland, das nach dem Zweiten Weltkrieg aus dem Freistaat Anhalt und der preußischen Provinz Sachsen (nicht zu verwechseln mit dem Königreich Sachsen) geschaffen wurde, ist erst nach dem Fall der Mauer wieder aus den zerteilten Bezirken zusammengefügt worden. Im Mittelpunkt liegt Magdeburg mit nur noch wenigen erhaltenen Baudenkmälern, den Übergang zum industrieller geprägten Sachsen markiert die Salzstadt Halle, davor das Industrierevier von Bitterfeld und Wolfen. Südlich von Halle befindet sich das Weinbaugebiet Saale-Unstrut, die nördlichste Weinbauregion von ganz Europa. Hier, bei den Städtchen Freyburg, Naumburg und Bad Kösen, werden von Ende Mai bis Ende September Weinfeste gefeiert.
Quedlinburg, überragt von der Stiftskirche St. Servatius, überrascht mit seinen 2000 Fachwerkhäusern, die oft viele hundert Jahre alt sind und unter Denkmalschutz stehen. Eine Fahrt in dieses Land führt durch die fruchtbare weite Ackerlandschaft der Magdeburger Börde und weiter Richtung Harz, wo sich auf dem Brocken, dem höchsten Berg, die Hexen Ende April zur Walpurgisnacht treffen sollen.
Unter den vielen kleinen Städtchen und Dörfern des Harzes mit ihren hübschen Fachwerkhäusern ist das alte Städtchen Wernigerode besonders sehenswert. Kein Wunder, daß es auch ein beliebtes Ziel für Urlauber ist. An den Hängen des Harzes gibt es noch bäuerliche Obstplantagen, deren Ernten zu Branntwein und Likör verarbeitet werden, die Sie einmal probieren sollten. Ausgezeichnet ist der Käse der Region, zum Beispiel Harzer Käse oder Korbkäse.

Das neue Rathaus von Hannover spiegelt sich im Maschteich. Es wurde 1913 auf einem Fundament von 6026 Buchenpfählen erbaut.

Bunt und fröhlich geht es zu beim Karneval in Köln, dem ausgelassenen Treiben im Februar mit Masken, Bällen und Festumzügen.

Ein Schäfer bei Allertshofen im Odenwald hütet seine Schafherde, wie es vor Hunderten von Jahren schon üblich war.

Der Wallpavillon gilt als das schönste Bauwerk des Dresdner Zwingers.

Rheinland-Pfalz, Saarland, Hessen, Thüringen, Sachsen

Sanfte Gebirge durchziehen den mittleren Teil Deutschlands vom Westen über Eifel, Hunsrück und Pfälzer Wald, Westerwald, Taunus und Odenwald bis zum Thüringer Wald, Fichtelgebirge und Erzgebirge im Osten. Diese Mittelgebirge sind, die Namen verraten es, in weiten Teilen von Wald bedeckt. Die Böden auf den Höhen sind wenig fruchtbar und werden nur kleinräumig für den Ackerbau genutzt. Sprichwörtlich rauh und windig sind die feuchten Hochflächen des Westerwalds.
Andererseits wird diese Landschaft von großen und kleinen Flüssen durchzogen, von Mosel und Rhein, von Nahe und Main, von Saale und Unstrut – der Kenner horcht auf: Hier wachsen Weinreben. Wo das Klima mild ist, die Flüsse die Sonne spiegeln und deren Wärme speichern, liegen berühmte Weinbaugebiete. Zur Weinlese und danach werden hier in den Städten und Dörfern natürlich viele feucht-fröhliche Weinfeste gefeiert. Doch auch die Großstädte dieser fünf Bundesländer sind sehenswert. Zum Beispiel Frankfurt, die Banken-, Börse- und Messestadt, die wegen der Skyline des Bankenviertels oft mit einem Augenzwinkern »Mainhattan« genannt wird.
Von den mittelalterlichen Bauwerken und den prachtvollen Bürgerhäusern, die früher das Stadtbild bestimmten, ist leider nichts erhalten geblieben. Doch einige Patrizierhäuser und das Rathaus auf dem Römerberg wurden originalgetreu wieder hergestellt und geben ein gutes Bild der damaligen Epoche wieder. Mainz, die Hauptstadt von Rheinland-Pfalz und Bischofssitz mit seinem sehenswerten Dom aus dem 11. Jahrhundert, ist auch das Zentrum des rheinischen Weinhandels. Zum Karneval, der hier Fasnacht genannt wird, herrscht mindestens so ausgelassene Stimmung wie in Köln.
In Dresden sind viele der im Krieg zerstörten Barock- und Rokokobauten wieder aufgebaut worden. Zu den schönsten zählen der Zwinger, in dessen weitläufigen Galerien sich heute einige Museen befinden, und die Semperoper, die in der alten Pracht des Originals aus dem Jahr 1878 wieder hergestellt wurde.
Die Menschen in den fünf Regionen sind entsprechend den Gegensätzen von Berg und Tal, von Stadt und Land teils lebensfroh und heiter, teils verschlossen und bodenständig. In den warmen Gebieten wachsen Erdbeeren und Spargel, sogar Mandeln, Pfirsiche und Aprikosen. In den armen Hochlagen, vom Hunsrück bis zum Erzgebirge, mußte früher öfter der Gürtel enger geschnallt werden, wenn die Ernte schlecht ausfiel.

Die fruchtbaren großen Senken, wie die Wetterau bei Frankfurt am Main oder das Thüringer Becken, sind mit Obstbäumen, Zuckerrüben und Getreideanbau reich gesegnet. Eine wichtige Rolle spielen Kartoffeln, die erst Friedrich der Große nach den großen Mißernten von 1770 und 1771 mit Nachdruck einführte, die aber sehr rasch die Küche der Mittelgebirge prägten. Als »Brot der Armen« traten sie an die Stelle der teuren Getreideprodukte. Beliebt sind sie heute als Pellkartoffeln mit Quark oder Sauce, als Knödel oder Klöße, als Kartoffelpuffer oder »Himmel und Erde«, einem »Kartoffelstampf« mit gedünsteten Äpfeln.

Zweites Standbein dieser Küche ist die Wurst. Eine unglaubliche Anzahl von Würsten wird hier aus Schweinefleisch zubereitet, die lustigen, gelockten »Rebwürste« aus der Pfalz, die dünnen, geräucherten »Frankfurter Würstchen« (die es auch in Gläsern zum Mitnehmen gibt), die Hausschlachtwürste aus dem Harz und die deftigen Spezialitäten aus Thüringen. Das ist auch die Heimat der über Kiefernzapfenglut gegrillten Rostbratwürste, die zu jeder Feier, jeder Kirmes und zu jedem Schützenfest gehören. So natürlich auch zum Weimarer Zwiebelmarkt, der Anfang Oktober stattfindet. Dort werden kunstvoll geflochtene Zwiebelzöpfe angeboten, beliebte Mitbringsel für die häusliche Küche.

Das Räuchern von Würsten und Speck diente früher dazu, Schweinefleisch haltbar zu machen. Andere Konservierungsmethoden waren Einsalzen oder Pökeln und Einlegen in Essig, bevorzugt für dunkles Fleisch wie Wild oder Rind – was den berühmten Rheinischen Sauerbraten ergibt.

Überall in Sachsen und Thüringen gehören Blechkuchen mit Äpfeln, Zwetschgen oder Streuseln zu den Kirmes- und Kirchweihfesten im Herbst. Da reist die ganze Verwandtschaft an und wird mit Kaffee und Kuchen verköstigt.

Ein besonderes Ereignis ist die Vorweihnachtszeit im Erzgebirge, vor allem um Schneeberg und das Kur- und Spielzeugdorf Seiffen, die dann im Lichterglanz erstrahlen. Das Erzgebirgische Spielzeugmuseum in der Hauptstraße von Seiffen zeigt besonders schöne Arbeiten. Am 11. Dezember erinnert eine Bergparade an die Erzbergleute, deren handwerkliche Begabung einst das Spielzeuggewerbe entstehen ließ. Schnitzer und Reifendreher sind damit beschäftigt, Nußknakker, Räuchermännchen und Kerzenpyramiden herzustellen, in ihren Werkstätten kann man den Künstlern über die Schulter schauen und Weihnachtsschmuck kaufen. Ebenso beliebt als Mitbringsel sind die gehaltvollen Weihnachtsstollen aus Sachsen oder die Baumkuchen, die in vielen Konditoreien auf einer sich drehenden Walze über offenem Feuer Schicht für Schicht gebacken werden.

Die Skyline Frankfurts wird von den vielen Hochhäusern des Bankenviertels und vom Messeturm (rechts) beherrscht.

Bei der alemannischen Fastnacht in Friedrichshafen dürfen sich die Geister des Winters noch einmal austoben, bevor sie vertrieben werden.

Baden-Württemberg

Die Oberrheinische Tiefebene ist der reiche Garten Deutschlands. Geschützt von Randgebirgen gedeihen Gemüse und Getreide, Obst und Wein. Zeitig im Frühjahr sind die Hänge von einem weißen Blütenmeer bedeckt, das viele Besucher anlockt. Eine weitere Attraktion im Jahr ist der Spargel, der in der Rheinebene angebaut wird. Überall werden nun Spargelgerichte angeboten, dazu paßt badischer Wein, der auf den Vulkanhängen des Kaiserstuhls gehaltvoll gedeiht. Beliebtes Ziel ist die Insel Reichenau im Bodensee, deren mildes Klima einen intensiven Gemüseanbau ermöglicht.

Der Bodensee mit seinen vielen Freizeitmöglichkeiten stellt auch ein beliebtes Reiseziel dar. Die hübschen kleinen Städtchen wie Meersburg oder Konstanz haben wie die ganze Gegend ein mediterranes Flair.

Im Schwarzwald finden Wanderer viele entdeckenswerte Ecken. Die Bewohner sind noch in ihren Traditionen verwurzelt, was sich besonders bei der alemannischen Fastnacht, der »Fasnet«, mit wertvollen alten Kostümen zeigt. Beliebt sind Kleinigkeiten, »Vesper« genannt, die im Schwarzwald aus würzigem Speck und dem berühmten Schinken bestehen. Dazu gibt es Landbrot und ein »Wässerli«, einen Obstbranntwein. Auch der Schwabe schätzt die Vesper und trinkt ein »Viertele« Wein zu Laugenbrezeln, Preßsack oder Bauernwurst. Nationalgerichte sind Spätzle und Maultaschen aus Nudelteig. Überhaupt ist die Küche solide und herzhaft, auf Sparsamkeit bedacht wie zugleich erfindungsreich, kamen doch die meisten »Tüftler« und Erfinder aus Schwaben.

Im württembergischen Weingebiet findet man Besenwirtschaften – ein Reisigbesen vor der Tür der Winzer zeigt, daß der junge Wein ausgeschenkt wird, dazu werden oft kleine Gerichte gereicht.

Der reich verzierte gotische Brunnen aus dem 14. Jh. am Hauptmarkt in Nürnberg ist von besonderer Pracht.

Bayern

Alpengipfel und flache Schotterebene, karge Fränkische Alb und ursprünglicher Bayerischer Wald – Bayern bietet viel Abwechslung. Die deutsche Alpenstraße führt von Lindau durch besonders reizvolles Gebiet bis zum Königssee bei Berchtesgaden und zeigt eindrucksvoll die Bergwelt. An das hügelige Alpenvorland mit seinen schönen Seen und prachtvollen Bauernhöfen schließt sich die große Ebene um

München mit Feldern und Waldstrichen an, auf die wiederum bis zur Donau ein sanftwelliges Hügelland folgt. Dessen reiche Böden sind Bayerns Kornkammern, hier wachsen Weizen und Gerste – wovon der Bayer viel fürs Bierbrauen braucht. Dazu Hopfen, der in der Holledau angebaut wird. Sehenswert ist Regensburg und seine berühmte, über 800 Jahre alte »Historische Wurstkuchl« an der Steinernen Brücke, wo schon die Handwerker und Bautrupps um 1140 ihre Vesper erhalten haben sollen. Unter freiem Himmel trifft man sich noch heute zu einer deftigen Wurstmahlzeit.
München, die drittgrößte Stadt Deutschlands, ist Universitäts-, Verlags- und Kulturstadt. Sie zieht große Firmen ebenso an wie Touristen aus aller Welt. Aber das »Millionendorf« hat an vielen Stellen seine Beschaulichkeit und sein Brauchtum bewahrt. Steht Schwabing für Weltoffenheit, dann steht der Viktualienmarkt für die ganze Welt – hier erhält man alles an Obst und Gemüse, was man sich nur vorstellen kann.

Ansonsten sind Kartoffeln sehr beliebt, die am liebsten zu Knödeln »veredelt« werden. Beliebteste Tageszeit ist die »Brotzeit« mit Weißwürsten, Brezen (Laugenbrezeln), Wurstsalat, Radi (Rettich) oder einem »Obatzden« (angemachter Camembert) zur »Maß«, einem Liter Bier, möglichst in einem der vielen Biergärten. Bier fließt auch reichlich beim Oktoberfest, das Ende September beginnt. Bei dieser weltweit bekannten Gaudi gibt's gegrillte Hendl (Hähnchen), Haxen und Steckerlfisch – auf Holzspießen gebratene Makrelen.

Die Zugspitze ist mit 2962 m der höchste Berg Deutschlands.

München ohne Biergärten – das ist undenkbar. Am Chinesischen Turm im Englischen Garten sitzt jung und alt bei der »Brotzeit«.

Hinter dem Neptunbrunnen aus dem Jahre 1891 ist das Rote Rathaus von Berlin zu sehen.

Im Spreewald sind Kähne ein wichtiges Verkehrs- und Transportmittel.

Berlin und die Mark Brandenburg

Berlin, die wieder vereinte, flächenmäßig größte Stadt Deutschlands, wurde durch ihre günstige Verkehrslage sowohl Handelsstadt als auch Auffangbecken für Menschen aus allen Ländern. So ist der Berliner offen, selbstbewußt und kontaktfreudig und überrascht mit seinem Humor, den er auch bewahrte, als Berlin eine geteilte Stadt mit zwei Zentren wurde. Mittelpunkt des »alten« Berlin ist der Alexanderplatz und die Flanierallee »Unter den Linden«, daneben wuchs der Kern von West-Berlin um Kurfürstendamm und Kaiser-Wilhelm-Gedächtniskirche mit Geschäften, Cafés, Kinos und Unterhaltungsmöglichkeiten rund um die Uhr. Am Wittenbergplatz liegt das »KaDeWe«, das Kaufhaus des Westens, das größte Europas, in dem es nichts gibt, was es nicht gibt. Typisch berlinerisch sind die vielen Ausflugslokale, wie bei »Zenner« in Treptow, wo schon um das Jahr 1727 Gäste bewirtet wurden.

Die Stadt liegt inmitten der Mark Brandenburg. Weite Flächen aus Schwemmsand, Kiefernwälder, bewaldete sanfte Hügel und fruchtbare Äcker prägen diese Landschaft. Viele Seen und Flüsse gliedern das Land, das von Elbe und Havel im Westen und von Oder und Neiße im Osten begrenzt wird. Unter den Schutz der UNESCO gestellt ist der Spreewald, das »Venedig des Nordens«. Hier können Sie auf unzähligen Wasserarmen, »Fließe« genannt, unter Erlen durch die wie ein Freilichtmuseum anmutende Region gleiten, vorbei an Bauernkaten aus geschwärztem Holz.

Die Berliner waren schon früher gut mit allen Nahrungsmitteln versorgt. Die Verbundenheit mit der bäuerlichen Umgebung zeichnet ihre Küche aus. Flüsse und märkische Seen liefern Fische, eine »jut jebratene Jans« muß aus märkischer Aufzucht stammen. Die Fleischgerichte sind herzhaft, Kartoffeln dürfen bei keinem Essen fehlen.

Deutscher Wein

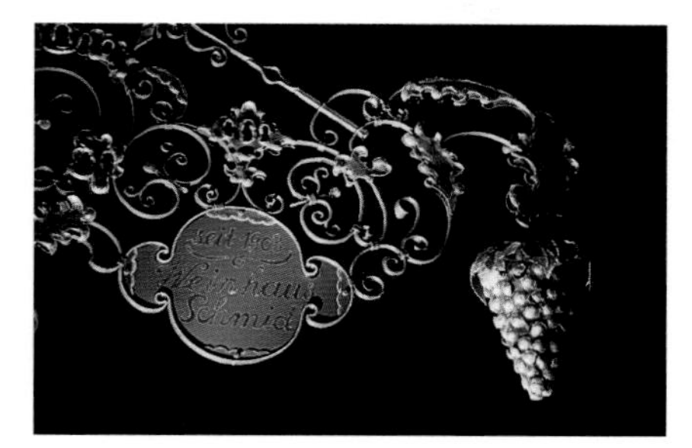

Manche Weinhandlungen werben mit einem besonders schönen Schild, wie dieses auf der Schwäbischen Alb.

Obwohl Deutschland nicht immer mit dem besten Wetter gesegnet ist, gilt es als hervorragendes Weinland. Zum Essen passen in der Regel am besten die Weine der jeweiligen Region, die dort selbst am liebsten trocken oder halbtrocken getrunken werden. Anhand des unterschiedlichen Klimas, der Böden und der bevorzugten Rebsorten lassen sich, zumindest theoretisch, die deutschen Weinbaugebiete unterscheiden.
Das Tal des Flüßchens Ahr, das zwischen Bonn und Koblenz in den Rhein mündet, ist Rotweingebiet. Allerdings werden – aus den Rebsorten Portugieser und Spätburgunder – weniger farbkräftige und leichtere Rotweine gekeltert als in südlichen Gebieten.
In Baden, von der Sonne verwöhnt, wachsen, besonders auf dem Vulkangestein des Kaiserstuhls und am Bodensee, gehaltvolle und wuchtige Rotweine. Beachtlich sind auch die Weißweine, vor allem die Grau- und Weißburgunder.
Zwischen Heidelberg und Darmstadt liegt die Hessische Bergstraße mit guten Rieslingen. Rheinhessen und die Pfalz gelten als Tafelweingebiete, aus denen auch gute und sehr gute Rieslinge, Grau- und Weißburgunder sowie Silvaner kommen. Die Nahe glänzt mit zarten Rieslingen, guten Silvanern und viel Müller-Thurgau. Als das Rieslinggebiet überhaupt gilt der Rheingau, westlich von Wiesbaden am Rheinknie gelegen, dessen Weine gehaltvoll, säurebetont und lange haltbar sind. Eine Besonderheit ist die »Rotweininsel« Assmannshausen.
Am mittleren Main entlang zieht sich das Anbaugebiet Franken, dessen Weine in die typischen Bocksbeutelflaschen gefüllt werden. Silvaner und Müller-Thurgau spielen eine wichtige Rolle, mehr und mehr tritt ökologischer Anbau in den Vordergrund.
Württemberg, mit Kerngebiet um Stuttgart und Heilbronn, baut trockene, leichte Rotweine aus den Trauben Trollinger, Lemberger und Schwarzriesling, aber auch Weißweine an.
Am Mittelrhein, von Bingen bis vor Bonn, gedeiht der Riesling besonders gut, die Weine können sich mit denen des Rheingaus messen. Die Weinberge an Mosel, Saar und Ruwer sind klassische Riesling-Gebiete mit leichteren, frischen, »spritzigen« Weinen. Auch die Regionen im Osten, Saale-Unstrut, das nördlichste, und Sachsen, das kleinste Weinbaugebiet Deutschlands, erzeugen säurereiche, herbe Weine, die gut zum Essen passen.

In Trittenheim zieht die Mosel eine Schleife. Hier liegen berühmte Weinlagen wie z. B. das Rosengärtchen.

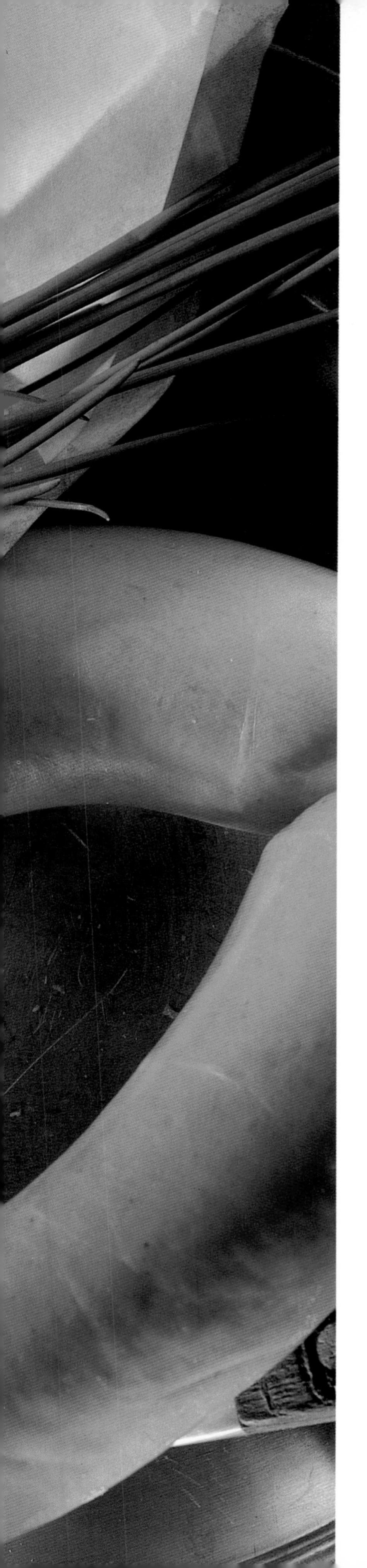

BROTZEIT & VESPER

Das Kapitel »Vorspeisen« gibt es eigentlich in der deutschen Küche nicht, zumindest nicht in der einfachen. Dafür werden um so lieber kleine Mahlzeiten zwischendurch gegessen, die eine willkommene Unterbrechung des Tageslaufs darstellen. Das ist von Süd bis Nord so ausgeprägt, daß von einer regelrechten Imbiß-Kultur gesprochen werden kann. Ob nun der Bayer auf seiner Brotzeit oder der Schwabe auf seiner Vesper besteht, der anerkannt wichtigsten Tageszeit (die an keine Uhrzeit gebunden ist), ob die Badener ihren Vormittag durch das »z'Nüni« unterbrechen, die Ostfriesen ihre Teestunden brauchen oder sich die Geschäftsleute in den Hansestädten zu einem feinen Imbiß verabreden, die kleinen Zwischenmahlzeiten sind oft wichtiger als das Hauptessen, das früher oft am späten Nachmittag oder erst nach getaner Feldarbeit am Abend eingenommen wurde. Da das Spektrum von deftigen »Schmankerln«, wie man in Bayern zu appetitlichen Kleinigkeiten sagt, bis zu wahrhaft fürstlichen Ragouts reicht, lassen sich etliche davon auch als originelle Vorspeise servieren. Auf jeden Fall passen sie zu geselligen Runden, wenn zu Wein oder Bier kleine Leckerbissen gereicht werden.

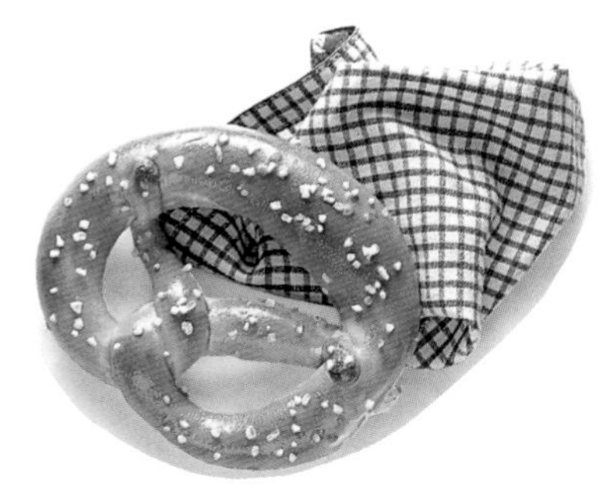

Obatzda

Aus Bayern · Geht schnell

Käsecreme aus Camembert

Zutaten für 4 Portionen:
250 g reifer bayerischer Camembert (45 % Fett i.Tr.)
150 g weiche Butter
1 Zwiebel
2 TL Kümmelsamen
2 TL Paprikapulver, edelsüß
1/2 TL Paprikapulver, scharf
Salz
schwarzer Pfeffer, frisch gemahlen
Zum Servieren: frische Brezen (Laugenbrezeln) oder dunkles Holzofenbrot

Zubereitungszeit: 20 Min.

Pro Portion: 2000 kJ/480 kcal

1 Den Camembert mit einer Gabel kräftig zerdrücken. Die Butter schaumig rühren und darunter mischen.

2 Die Zwiebel schälen und auf einer Gemüsereibe fein reiben. Zwei Drittel des Kümmels in einem Mörser vermahlen, mit den übrigen ganzen Kümmelsamen und der geriebenen Zwiebel unter die Käsemasse rühren.

3 Mit beiden Paprikasorten, wenig Salz, aber reichlich Pfeffer würzen. Am besten über Nacht kühl stellen und durchziehen lassen. Rechtzeitig aus dem Kühlschrank nehmen, so daß die Creme Zimmertemperatur annimmt.

4 Auf kleinen Tellern anrichten und zur Brotzeit mit frischen Brezen oder dunklem Holzofenbrot servieren. Nach Belieben mit Radieschen und Zwiebelringen garnieren.

Variante: Dies ist das original bayerische Rezept, kalorienärmer wird die Käsecreme, wenn Sie zum Camembert nur 20 g Butter, dafür 60 g Doppelrahm-Frischkäse geben. Ist die Masse zu fest, geben Sie einfach noch 1–2 EL Bier dazu.

Tip! Der Camembert muß gut gereift und durch und durch cremig sein, aber die Rinde darf noch keine bräunlichen Stellen zeigen, sonst wird der »Obatzde«, der Angebatzte, bitter.

Apfel-Zwiebel-Schmalz

Aus Berlin · Deftig

Speck mit Zwiebel- und Apfelwürfeln

Zutaten für 10 Portionen für etwa 1 1/2 l:
1 kg fetter Rückenspeck
4 Äpfel (z. B. Boskop)
4 große Zwiebeln · Salz
schwarzer Pfeffer, frisch gemahlen
1 TL Majoran, gerebelt
Zum Servieren: Schusterjungs (Roggenbrötchen), Schrippen (Brötchen) oder dunkles Roggenbrot

Zubereitungszeit: 30 Min. (+ 2 Std. Auskühlen lassen)

Pro Portion: 4000 kJ/950 kcal

1 Den Speck würfeln oder durch den Fleischwolf drehen. In einem Topf langsam erhitzen und auslassen. Die Äpfel schälen, vierteln, das Kerngehäuse entfernen. Apfelschnitze in 1/2 cm große Stücke schneiden. Die Zwiebeln schälen, grob würfeln und im heißen Speckfett leicht anbräunen.

2 Die Apfelwürfel dazugeben und bei mittlerer Hitze etwa 5 Min. braten, die Grieben (die Speckkrüstchen, die nach dem Auslassen im Fett schwimmen) sollen dabei nur hellbraun werden. Topf vom Herd nehmen, das Schmalz sparsam mit Salz, reichlich mit Pfeffer und dem Majoran würzen.

3 Das Schmalz etwas abkühlen lassen, in einen Steinzeugtopf gießen (zur Not geht auch ein Porzellantöpfchen) und etwa 2 Std. auskühlen lassen, kurz vorm Erstarren noch einmal durchrühren, damit sich Grieben, Äpfel und Zwiebel gleichmäßig verteilen. Mit Deckel oder Folie verschließen und kühl aufbewahren.

4 Im Steinzeugtopf servieren. Dazu Schusterjungs, Schrippen oder dunkles Roggenbrot reichen.

Info: Im Kühlschrank hält sich der köstliche Brotaufstrich mehrere Wochen.

Soleier

Aus Berlin · Gelingt leicht

Eier, in würziger Salzlake mariniert

Zutaten für 8 Portionen:
8–10 Eier
1 Zwiebel
3 EL grobes Meersalz
1 EL Korianderkörner
1 EL Senfkörner
½ EL schwarze Pfefferkörner
2 Lorbeerblätter
3 EL Essig
3 EL scharfer Mostrich (Senf)
6 EL Pflanzenöl
Salz
schwarzer Pfeffer, frisch gemahlen

Zubereitungszeit: 30 Min.
(+ 12 Std. Marinieren)

Pro Portion:
280 kJ/67 kcal

1 Die Eier etwa 7 Min. kochen, mit kaltem Wasser abschrecken und abkühlen lassen. Die Schale rundum etwas anschlagen, damit die Marinade eindringen kann.

2 Die Zwiebel schälen, halbieren und in Halbringe schneiden. In einem Topf ¾ l Wasser mit dem Meersalz, der Zwiebel, Koriander-, Senfkörnern, Pfefferkörnern und Lorbeerblättern aufsetzen und etwa 5 Min. kochen lassen.

3 Topf vom Herd nehmen, alles etwas abkühlen lassen. Die Eier in ein Einmachglas schichten und mit der Marinade samt allen Gewürzen übergießen. Mit Deckel oder Klarsichtfolie verschließen und mindestens einen Tag durchziehen lassen.

4 Aus Essig, Mostrich, Öl, Salz und Pfeffer eine pikante Sauce rühren und in ein Schüsselchen füllen. Die Eier im Glas mit einer Zange zum Herausheben servieren. Brot und Butter dazu stellen. Die Eier werden so gegessen: schälen und mit dem Messer längs halbieren. Das Eigelb herausheben, ein wenig von der Sauce in die Höhlung füllen und das Eigelb umgekehrt wieder darauf setzen, im ganzen in den Mund schieben.

Getränke: Dazu gehört eine Molle mit Korn (Bier und ein weißer Schnaps).

Info: Die lange haltbaren Soleier, die auf jedem Berliner Budiker-Tresen stehen, wurden ursprünglich in den sächsischen Salinen in der salzigen Sole gekocht und darin serviert.

Grie Sooß'

Aus Frankfurt a. M. · Würzig

Grüne Frühlings-Kräutersauce mit Eiern

Zutaten für 4 Portionen:
2 Eier, hartgekocht
2 Eigelbe von ganz frischen Eiern
2 EL Senf
2 EL Weißweinessig
8 EL Olivenöl
250 g saure Sahne
100 g gemischte Kräuter (Petersilie, Schnittlauch, Pimpinelle, Sauerampfer, Kresse, Borretsch, Kerbel)
Salz
weißer Pfeffer, frisch gemahlen

Zubereitungszeit: 30 Min.

Pro Portion: 1310 kJ/314 kcal

1 Die Eier schälen, halbieren und fein hacken. In einer Schüssel die rohen Eigelbe mit Senf verrühren. Erst den Essig, dann nach und nach das Olivenöl mit dem Schneebesen kräftig unterschlagen. Die gehackten Eier und die saure Sahne dazurühren.

2 Die Kräuter waschen, trockenschütteln und die harten Stiele entfernen. Nach Belieben ein paar Blättchen zur Dekoration beiseite legen. Das zarte Grün fein hacken und unter die Sauce rühren. Mit Salz und Pfeffer abschmecken und mit den Blättchen garnieren.

Wichtiger Hinweis: Bitte verwenden Sie nur ganz frische Eier von freilaufenden Hühnern, um das Salmonellenrisiko zu verringern.

Info: Immer wieder wird behauptet, schon Goethe hätte diese Sauce geliebt. Doch das ist kaum denkbar, denn das Rezept kam erst um 1800 von Italien nach Hessen und wurde hier den heimischen Küchenvorlieben angepaßt. Vor allem floß die keltische Zahlenmagie mit ein: Wichtig ist die Zahl 7, denn genau so viele Kräuter müssen hinein. Und zwar exakt die aufgezählten. In Hessen kann man im Frühjahr Kräuterpäckchen mit der fertigen Mischung auf den Märkten kaufen. Ansonsten gibt es verschiedene Zubereitungen »echter« Grüner Sauce. Dieses Rezept stammt aus dem handgeschriebenen Kochbuch meiner Großmutter. Die Sauce wird im Frühjahr zu hartgekochten Eiern und Pellkartoffeln (»G'wellte«) oder zu gesottenem Rindfleisch (»Suppenfleisch«) gegessen.

Münchner Wurstsalat

Würzig · Geht schnell

Wurstscheiben in Essig-Öl-Marinade

Zutaten für 4 Portionen:
500 g Regensburger Würste
2 milde weiße Zwiebeln
(oder 1 Gemüsezwiebel)
2 EL helle Essig-Essenz
Salz
schwarzer Pfeffer, frisch gemahlen
4 EL Sonnenblumenöl
1 Bund Schnittlauch

Zubereitungszeit: 15 Min.

Pro Portion: 2200 kJ/520 kcal

1 Die Würste pellen und in gleichmäßige, 1/2 cm dicke Scheiben schneiden. Die Zwiebeln schälen und in hauchdünne Scheiben schneiden (am besten mit einem Gemüsehobel, sie müssen so dünn sein, daß man fast hindurchschauen kann).

2 Wurstscheiben auf vier tiefe Teller verteilen, mit den aufgeblätterten Zwiebelscheiben belegen. Essig-Essenz mit 1/2 Tasse Wasser, Salz und Pfeffer verrühren, über Wurst und Zwiebeln gießen und das Öl darüber träufeln.

3 Den Schnittlauch waschen, trockenschütteln und in feine Röllchen schneiden, über den Wurstsalat streuen. Gleich servieren. Dazu paßt frisches Holzofenbrot und Butter.

Getränk: Auf jeden Fall gehört dazu eine »Maß«, ein großes helles Bier.

Variante: Schweizer Wurstsalat
Er wird genauso zubereitet wie oben beschrieben, nach Belieben mit etwas weniger Wurst, denn zum Schluß werden noch 125 g Schweizer Käse in Streifen über die Portionen gestreut.

Info: Die »Regensburger« sind kleine, sehr dicke Würstchen aus Schweine- und Rindfleisch mit Speck, in der Kette gebunden, gebrüht und geräuchert. Sie sind sowohl im Wurstsalat als auch heiß in München sehr beliebt. Statt Regensburgern wird manchmal Fleischwurst oder Stadtwurst genommen, das ist dann aber nicht mehr original.

Rindfleischsalat

Aus Mecklenburg · Geht schnell

Rindfleisch, sauer mariniert

Zutaten für 4 Portionen:
500 g gekochtes Rindfleisch
(Suppenfleisch, Rinderbrust),
2 Äpfel (z. B. Boskop)
3 Frühlingszwiebeln mit Grün
400 g Sellerie, bißfest gekocht
je 1 Bund Schnittlauch,
Dill und Petersilie
150 ml entfettete Brühe
6 EL milder Essig · 4 EL Pflanzenöl
2 EL scharfer Senf · Zucker
Salz · schwarzer Pfeffer,
grob zerstoßen

Zubereitungszeit: 10 Min.
(+ 30 Min. Marinieren)
Pro Portion: 1300 kJ/310 kcal

1 Das gekochte kalte Rindfleisch von Fett und Knorpeln befreien, mit einem scharfen Messer quer zur Faser in dünne Blättchen schneiden.

2 Äpfel schälen, vierteln, das Kerngehäuse ausschneiden, Äpfel in kleine Stücke schneiden. Frühlingszwiebeln gründlich waschen, mit Grün in feine Scheiben schneiden. Sellerie in etwas größere Stifte zerteilen.

3 Die Kräuter waschen, trockenschütteln und grob hacken. Die kalte Brühe mit Essig, Öl, Senf, einer Prise Zucker und Salz verrühren, die gehackten Kräuter untermischen. Rindfleisch, Äpfel und Gemüse sofort unterheben. Mindestens 30 Min. durchziehen lassen.

4 Noch einmal abschmecken und mit grob gestoßenem schwarzen Pfeffer bestreut anrichten. Dazu paßt dunkles Brot und Butter.

Variante: Ähnliche Rindfleischsalate liebt man in ganz Deutschland. Oft werden sie – statt mit Sellerie – auch mit in Scheiben geschnittenen Essiggurken und etwas Gurkenbrühe angemacht.

Thüringer Leberwurst sauer

Deftig · Geht schnell

Wurstscheiben, sauer eingelegt

Zutaten für 4 Portionen:
500 g sehr gut gekühlte Thüringer Leberwurst
2 Zwiebeln
1 Bund Schnittlauch
5 EL Essig
2–3 EL mittelscharfer Senf
5 EL Sonnenblumenöl
Salz
Zucker
schwarzer Pfeffer, frisch gemahlen
Zum Servieren: Bauernbrot

Zubereitungszeit: 20 Min.
(+ 30 Min. Marinieren)

Pro Portion: 2700 kJ/640 kcal

1 Die gekühlte Leberwurst rasch häuten und in zentimeterdicke Scheiben schneiden, auf kleine, tiefe Tellerchen verteilen.

2 Die Zwiebeln schälen und sehr fein würfeln. Schnittlauch waschen, trockenschütteln und in Röllchen schneiden. In einer Schüssel Essig mit dem Senf verrühren, dann mit einer Gabel das Öl einschlagen. Die Zwiebelwürfel und Schnittlauchröllchen unterrühren.

3 Die Sauce mit je einer Prise Salz und Zucker sowie reichlich Pfeffer würzen, über die Wurstscheiben verteilen. Mindestens eine halbe Stunde einziehen lassen. Dazu Bauernbrot, aber keine Butter servieren.

Getränke: Am besten paßt ein helles Bier und – zu besserer Verdaulichkeit – ein klarer Schnaps.

Variante: »Wisser Hännes«
(Saure Leberwurst)
Für diese in Köln bekannte saure Leberwurst werden 500 g nicht zu harte Leberwurst genommen, die unter der Haut eine dünne weiße Fettschicht hat. Sie wird wie oben in Scheiben geschnitten und in eine Marinade aus 2–3 gehackten Zwiebeln, je 5 EL Essig und Öl, einer Prise gestoßenem Lorbeer, Nelkenpulver und gemahlenem Pfeffer gelegt. Dazu gibt es rheinisches Schwarzbrot.

Es gibt viele verschiedene Sorten von Leberwürsten in Deutschland.

Leberwurst

Zu den ältesten Würsten Deutschlands gehören die Blut- und Leberwürste, die frisch am Schlachttag aus Leber, fettem Speck und Blut bereitet werden. Die Leberwurst, eine Spezialität aus Thüringen, Franken, Hessen und dem Rheinland, findet man in verschiedenen Ausführungen. Einmal gibt es die frische fette Leberwurst, die nach dem Abfüllen im Naturdarm in Wurstbrühe gegart wird. Sie wird als Streichwurst auf Brot oder heiß gemacht zu Schlachtplatten mit Sauerkraut gegessen. Dann gibt es noch die harte Leberwurst, die zur Haltbarmachung geräuchert und oft noch lange luftgetrocknet wird. Sie wird in Scheiben geschnitten und aufs Brot gelegt. Die Thüringer Leberwurst ist eine grobe Kochstreichwurst, die mindestens ein Viertel frische Schweineleber enthalten muß, dazu kommt grob entfettetes Schweinefleisch. Die Leberwurst aus der Kölner und Düsseldorfer Gegend dagegen ist hart und luftgetrocknet, enthält weniger Fett und wird im Volksmund oft spöttisch »Stockfärv«, Fensterkitt, genannt.

Rührei mit Nordsee-Krabben

Aus Friesland · Geht schnell

Rührei mit kleinen Garnelen

Zutaten für 4 Portionen:
1 kleine Zwiebel
3 EL Butter
8 ganz frische Eier
Salz
weißer Pfeffer, frisch gemahlen
200 g geschälte Nordsee-Krabben
Saft von 1/2 Zitrone
1/2 Bund Schnittlauch
4 Scheiben Vollkornbrot
Butter zum Bestreichen

Zubereitungszeit: 20 Min.

Pro Portion: 1700 kJ/400 kcal

1 Die Zwiebel schälen und sehr fein würfeln. In einer Pfanne 2 EL Butter erhitzen, die Zwiebelwürfel darin glasig braten. Eier, etwas Salz und eine Prise Pfeffer mit einer Gabel verquirlen, dabei soll sich kein Schaum bilden. Die Eier über die Zwiebelwürfel gießen. Wenn die Masse am Boden gestockt ist, vom Pfannenrand zur Mitte hin mit einem hölzernen Spatel zusammenschieben. Das Rührei soll noch cremig bleiben.

2 Inzwischen in einer Pfanne die restliche Butter erhitzen, die Krabben hinzugeben und unter Rühren etwa 3 Min. nur erhitzen, nicht braten. Salzen und pfeffern, mit Zitronensaft beträufeln.

3 Schnittlauch waschen, trockenschütteln und in feine Röllchen schneiden. Vollkornbrotscheiben mit Butter bestreichen, das Rührei darauf häufen und mit Krabben und Schnittlauch bestreuen.

Wichtiger Hinweis: Bitte verwenden Sie nur ganz frische Eier von freilaufenden Hühnern, um das Salmonellenrisiko zu verringern.

Info: Obwohl die Nordsee-Krabben, auch »Granat« genannt, zur Familie der Sandgarnelen gehören, also überhaupt keine »Krabben« sind, dürfen sie nach alter Tradition hochoffiziell in Norddeutschland so genannt werden.

Krebse in Dillsauce

Aus Berlin · Braucht etwas Zeit

Süßwasser-Krustentiere in feiner Sauce

Zutaten für 4 Portionen:
20 Flußkrebse (etwa 1,5 kg, vom Händler überbrühen und etwa 5 Min. kochen lassen, ersatzweise lebende Krebse)
1 Zwiebel · 1 Möhre
1 Stück Sellerie (etwa 50g)
1 Bund Dill · 4 EL Butter
1 l milde Brühe (selbstgemacht oder Fertigpodukt)
1/2 l Weißwein (z. B. Mosel)
1 TL Kümmelsamen
2 EL Zitronensaft
125 g Sahne
1 TL Mehl · Salz
weißer Pfeffer, frisch gemahlen

Zubereitungszeit: 1 1/2 Std.

Pro Portion: 1500 kJ/360 kcal

1 Krebse waschen und abbrausen. Die Zwiebel in Stücke schneiden. Möhre und Sellerie schälen, grob würfeln. Vom Dill die zarten Blättchen abzupfen, hacken und beiseite legen, die Stengel zerschneiden. In einem großen Topf 2 EL Butter erhitzen und Zwiebel, Gemüse und Dillstengel andünsten.

2 Brühe und Wein aufgießen, Kümmel dazugeben, etwa 15 Min. bei schwacher Hitze zugedeckt sieden lassen. Falls Ihr Händler die Krebse nicht kocht, müssen Sie jetzt auf starke Hitze hochschalten, Brühe kräftig aufkochen und 5 Krebse hineinwerfen. Etwa 5 Min. zugedeckt kochen, dann die Krebse herausheben, die nächsten Partien genauso kochen. Dann die Hitze wieder reduzieren, die Krebse zurück in den Topf schütten. Nun alle zusammen – ab jetzt auch die bereits gekochten Krebse – noch etwa 5 Min. im Sud ziehen lassen.

3 Die Krebse herausheben, Schwanzteil vom Kopf abdrehen, Panzer von der Bauchseite her aufbiegen und das Fleisch auslösen. Am Rücken einschneiden und den Darm mit einer Messerspitze entfernen. Die Scheren mit einem Nußknacker oder einer Zange aufknacken, das Fleisch vorsichtig herausziehen (siehe Schritte 4, 5, 6, S. 76). Krebspanzer zerdrücken und in 2 EL Butter andünsten. 3/4 l Sud abmessen, angießen, bei starker Hitze offen etwa 15 Min. einkochen lassen. Durch ein Sieb in eine Kasserolle gießen.

4 Sud nochmals um die Hälfte einkochen. Mit Zitronensaft abschmecken. Sahne mit Mehl verrühren, unterquirlen. Abschmecken, die gehackten Dillspitzen dazugeben. Krebsschwänze darin kurz erhitzen, in der Kasserolle servieren oder schon in Teller füllen und mit Krebspanzern garnieren.

Kükenragout in Krebssauce

Aus Bremen · Braucht etwas Zeit

Geflügelfleisch in sahniger Sauce

Zutaten für 6 Portionen:
20 g getrocknete Morcheln
2 Stubenküken (je etwa 500 g)
1 unbehandelte Zitrone · Salz
3 Zweige Petersilie
3 Eier · 6 EL Milch
Muskatnuß, frisch gerieben
Butter zum Ausfetten
250 g frische Spargelstangen
50 g Butter · 50 g Mehl
2 EL Krebsbutter oder Hummerpaste
Macis (Muskatblüte)
2 Eigelb ·125 g Sahne
6 geschälte Krebsschwänze zum Garnieren (aus der Dose)

Zubereitungszeit: 1 Std. (+ 30 Min. Einweichen + 40 Min. Garen)

Pro Portion: 2800 kJ/670 kcal

1 Morcheln bürsten, in 1 Tasse Wasser etwa 30 Min. einweichen. Küken waschen, von der Hälfte der Zitrone die Schale dünn abschneiden. In einem Topf 1 ½ l Salzwasser aufsetzen, Küken hineinlegen. Schale und Morcheln mit Flüssigkeit dazugeben (vorsichtig, damit der Bodensatz zurückbleibt), zugedeckt bei schwacher Hitze 35–40 Min. garen.

2 Petersilie waschen, trockenschütteln und fein hacken. Die Eier mit der Milch, dem Muskat, Salz und der gehackten Petersilie verrühren. 3 Tassen mit Butter ausstreichen.

3 Die Tassen halb mit der Eimasse füllen. Einen breiten Topf 3 cm hoch mit Wasser füllen und erhitzen. Die Tassen hineinstellen, ein Küchentuch über den Topf legen und den Deckel aufsetzen. Den Eierstich bei ganz schwacher Hitze etwa 20 Min. leise siedend stocken lassen. Die Tassen aus dem Wasser heben, etwa 5 Min. abkühlen lassen. Stürzen und den Eierstich zunächst quer in ½ cm dicke Scheiben, diese dann in Rauten schneiden. Beiseite stellen.

4 Den Spargel schälen, in 4 cm lange Stücke schneiden und in frischem Salzwasser etwa 10 Min. garen. Herausheben, unter kaltem Wasser abschrekken, abtropfen lassen.

5 Küken und Morcheln aus der Brühe nehmen. Das Kükenfleisch häuten und von den Knochen lösen. Fleisch in etwa walnußgroße Stücke schneiden. Die Butter in einem Topf zerlassen, das Mehl darüber streuen und durchrühren, nur hellgelb anschwitzen.

6 Topf vom Herd nehmen und etwas abkühlen lassen. Von der Brühe 1 l abmessen und aufgießen. Unter Rühren aufkochen, die Krebsbutter darin schmelzen lassen. Die Zitrone auspressen. Die Brühe mit Salz, Macis und Zitronensaft abschmecken.

7 Das Kükenfleisch, die Morcheln und Spargelstücke kurz in der Sauce erwärmen. Eigelbe mit der Sahne verquirlen und in die Sauce geben. Mit Krebsschwänzen und Eierstich garniert sofort in einer Terrine servieren.

Beilagen-Tip: Blätterteig-Halbmonde
3 Platten tiefgekühlten Blätterteig auftauen lassen, etwa 3 mm dick ausrollen. Mit einer Plätzchenform daraus Halbmonde ausstechen, die Oberfläche mit verquirltem Eigelb bepinseln, auf ein mit kaltem Wasser abgespültes Backblech legen und bei 200° (Gas Stufe 3, Umluft 180°) etwa 10 Min. backen.

Saure Zipfel

Aus Nürnberg · Deftig

Brätwürstchen, in saurem Sud gegart

Zutaten für 4 Portionen:
1/8 l Weißweinessig · 1/4 l Weißwein
2 Lorbeerblätter · 2 Nelken
8 Wacholderbeeren
1 EL Pfefferkörner
2 große Zwiebeln · 3 Möhren
1 EL Salz · 1 Prise Zucker
1 EL Pflanzenöl
24 kleine rohe Nürnberger Bratwürstchen oder 8 große rohe fränkische Bratwürste (600 g)
1/2 Stange frischer Meerrettich
schwarzer Pfeffer, frisch gemahlen

Zubereitungszeit: 25 Min.
Pro Portion: 2200 kJ/520 kcal

1 Den Essig mit dem Weißwein und 3/4 l Wasser, Lorbeerblättern, Nelken, Wacholderbeeren und Pfefferkörnern in einem großen Topf zum Kochen bringen.

2 Die Zwiebeln und die Möhren schälen, in dünne Scheiben schneiden. Mit Salz, Zucker und Öl in den Sud geben. Etwa 15 Min. zugedeckt bei schwacher Hitze sieden lassen. Die Hitze auf schwächste Stufe zurückschalten und die Würstchen in den heißen Sud legen, sie dürfen auf keinen Fall kochen, sonst platzen sie. Kleine Würstchen in etwa 10 Min., große in etwa 15 Min. heiß und gar werden lassen.

3 Die Meerrettichstange schälen und auf einer Rohkostreibe grob raffeln, in ein Schüsselchen füllen. Die garen Würstchen in eine Terrine geben, das Gemüse mit einem Schaumlöffel darüber verteilen. Den Sud mit Salz und Pfeffer abschmecken und über die Würstchen gießen. Heiß servieren. Dazu den Meerrettich servieren.

Getränke: Dazu schmeckt am besten ein herber weißer Frankenwein oder Bier.

Variante: 150 g braune Champignons putzen, in Scheiben schneiden und zum Sud geben.

Münsterländer Töttchen

Braucht etwas Zeit

Kalbsragout

Zutaten für 6 Portionen:
1 kg Kalbskopf oder 1 kg Kalbsbrust mit Knochen · 250 g Kalbsherz
1 kleine Kalbszunge
6 Zwiebeln
2 Nelken
1 EL Pfefferkörner
2 Lorbeerblätter · Salz
3 EL Butterschmalz
3 EL Mehl
2 EL Weißweinessig · 1 Prise Zucker
schwarzer Pfeffer, frisch gemahlen
Zum Servieren: Bauernbrot und scharfer Senf

Zubereitungszeit: 50 Min.
(+ 1 Std. Garen)

Pro Portion: 2200 kJ/520 kcal

1 Kalbskopf oder Kalbsbrust unter fließendem Wasser gründlich reinigen, um Knochenreste zu entfernen. Herz und Zunge ebenfalls waschen. 2 der Zwiebeln schälen und halbieren.

2 Kalbskopf oder -brust, Herz, Zunge, Nelken, Pfefferkörner, Lorbeerblätter und die Zwiebeln in einen Topf mit etwa 1 1/2 l Wasser geben. 2 EL Salz dazugeben und das Wasser zum Kochen bringen. Den Schaum abschöpfen, alles zugedeckt etwa 1 Std. bei schwacher Hitze garen.

3 Das Fleisch aus der Brühe heben und etwas abkühlen lassen. Die restlichen Zwiebeln schälen, klein würfeln und in einem Topf in Butterschmalz anbraten. Mit dem Mehl bestreuen, durchrühren und 3/4 l von der Kochbrühe aufgießen, bei schwacher Hitze offen etwa 5 Min. köcheln lassen.

4 Inzwischen das Fleisch von den Knochen lösen, die Zunge häuten. Alles in etwa 2 cm große Würfel schneiden und in die Sauce geben. Mit Essig, Zucker, Salz und Pfeffer sehr pikant abschmecken. Dazu Bauernbrot und scharfen Senf servieren.

Info: Das Töttchen wird oft als pikanter Abschluß einer großen Feier gereicht. Es wird so gegessen: 1 TL scharfen Senf in einen Teller geben, Töttchen darüber füllen, verrühren.

VORSUPPEN

Es ist kaum zu glauben, aber die appetitanregenden Vorsuppen sind eine recht moderne Erfindung. Erst im späten 16. Jahrhundert, als es endlich Löffel auf der Tafel gab, fanden sie ihren Weg in die Speisenfolge, zuvor gab es in den bäuerlichen Schüsseln nur einen dicken Brei, der mit Brot aufgestippt wurde. Viele Rezepte für Suppen stammen aus den Klöstern. Sie wurden bei mehrgängigen Speisenfolgen serviert und waren schon bald ein Vorbild für die fürstliche Tafel. So wie damals gibt es heute noch in der einfachen Küche eine aufwendigere Vorsuppe, vor allem zu besonderen Gelegenheiten, als Festtags- oder Hochzeitssuppe. Dann wird sie aber mit reichhaltiger Einlage serviert – mit Eierstich und feinem Gemüse, mit verschiedenen Klößchen und Suppennudeln sowie mit Pilzen und Fleischstreifen.

Die einfachen Suppen auf der Grundlage von Fleisch (meist wurden verschiedene Sorten gemischt) bilden den Auftakt zu einem Essen, bei dem es Siedfleisch mit Sauce als Hauptgang gibt. Eine wichtige Bedeutung haben die Kräutersuppen, die im Frühjahr und vor allem am Gründonnerstag serviert werden und deren Zutaten einst magischen Charakter hatten.

Ansonsten findet man häufig Brennsuppen, für die Mehl, Grünkern oder Grieß angeröstet und mit Wasser aufgegossen werden. In dieser Form nicht gerade köstlich, aber sättigend. Besonders im reichen Bayern werden solche Suppen wenig geschätzt, und noch heute sagt man von jemandem, der keine feinen Manieren hat, der sei wohl auf der »Brennsupp'n daherg'schwommen«.

Thüringer Sauerkrautsuppe

Deftig · Gelingt leicht

Gemüsesuppe, pikant-säuerlich

Zutaten für 4 Portionen:
250 g Sauerkraut
1 l Fleischbrühe (selbstgemacht oder Fertigprodukt)
1 TL Kümmelsamen
1 Zwiebel
4 EL Butter
2 EL Mehl
4 altbackene Scheiben Weißbrot
½ Bund Petersilie
150 g saure Sahne
Salz
schwarzer Pfeffer, frisch gemahlen
Zucker

Zubereitungszeit: 45 Min

Pro Portion: 1100 kJ/260 kcal

1 Sauerkraut abtropfen lassen, dabei die Lake auffangen. Das Sauerkraut kleinschneiden. Mit Lake und Brühe in einem großen Topf aufsetzen, mit Kümmel würzen und etwa 30 Min. zugedeckt bei mittlerer Hitze garen.

2 Dann die Zwiebel schälen und fein würfeln, in 2 EL Butter anbräunen, Mehl darüber stäuben und hellbraun rösten. Unter Rühren etwas Brühe aufgießen. Diese Einbrenne in die Sauerkrautsuppe rühren, die Suppe unter Rühren aufkochen, bis sie gebunden ist.

3 Weißbrot entrinden, in kleine Würfel schneiden und in der restlichen Butter braun und knusprig braten. Petersilie waschen, trockenschütteln und nicht zu fein hacken. Saure Sahne glattrühren und unter die Suppe mischen, mit Salz, Pfeffer und einer guten Prise Zucker abschmecken. Mit Petersilie bestreut auftragen, die knusprigen, heißen Brotwürfel extra dazu servieren.

Info: In ganz Deutschland gibt es Varianten dieser Suppe, auch als herzhaften Eintopf mit gepökeltem Schweinefleisch. Oft wird sie aus den Resten eines Sauerkrautgerichts und Kartoffelpüree hergestellt, mit etwas Fleisch angereichert und mit Brühe aufgefüllt. In Südhessen nennt man sie oft scherzhaft »Schnauzersupp'« – ein stattlicher Schnurrbart heißt hier »Schnauzer«, und darin bleiben die Sauerkrautfäden beim Essen hängen. Diese Suppe ist so beliebt, daß auch gern eine Kartoffelsuppe mit Sauerkraut gekocht wird. Darin gart dann entweder ein Stück gepökeltes Schweinefleisch, oder knusprig gebratene Speckwürfelchen werden zum Schluß darüber gestreut.

Sauerkraut

Weißkohl wird im Herbst geerntet.

Dieses uralte volkstümliche Nahrungsmittel ist gar nicht so deutsch, wie man annehmen möchte. Schon vor über 2000 Jahren wurde in griechischen und römischen Kellern zerschnittenes Kraut eingestampft und vergoren. So ist es mit den römischen Truppen zu uns gekommen und galt schon immer, noch ehe man etwas von Vitaminen wußte, als sehr gesund. Auf den großen Segelschiffen, die in früheren Zeiten die Weltmeere durchpflügten, gehörten die Sauerkrautfässer zur Verpflegung, um dem gefürchteten Skorbut vorzubeugen, einer Krankheit, die durch Vitamin-C-Mangel hervorgerufen wird.
Noch heute wird Sauerkraut wie in alten Zeiten hergestellt: Der im Herbst geerntete Weißkohl, auch »Kappes« genannt, wird fein gehobelt, gesalzen und gepreßt. Milchsäurebakterien – heute werden Reinkulturen zugesetzt – beginnen nun die Gärung, die dem Kohl die Säure gibt und ihn dadurch auf natürliche Weise haltbar macht. Die Zellstruktur wird dabei aufgeschlossen, die Vitamine bleiben erhalten, vor allem, wenn der Sauerkohl nur kurz gegart wird. Waschen ist heute nicht mehr nötig, denn der Kohl gärt nicht mehr so lange wie früher. Als beste Kohlart gilt der Spitzkohl oder Filderkohl, der in der Umgebung von Stuttgart angebaut und verarbeitet wird.

Lebernockerlsuppe

Aus Bayern · Deftig

Fleischbrühe mit kleinen Leberklößchen

Zutaten für 4 Portionen:
200 g durchwachsenes Ochsenfleisch
500 g Rindfleischknochen
50 g Rinderherz und 50 g Rindermilz (oder nur 100 g Rinderherz)
Salz · 2 kleine Zwiebeln
100 g Selleriewurzel mit Grün
1 Möhre · 1/4 Stange Lauch
1 Zweig Liebstöckel
1 Lorbeerblatt · 1 EL Pfefferkörner
100 g Rindsleber · 2 Zweige Petersilie
1 EL weiche Butter
1 Ei · 1 EL Semmelbrösel
schwarzer Pfeffer, frisch gemahlen
1 Prise Majoran

Zubereitungszeit: 40 Min. (+ 2 Std. Garen)

Pro Portion: 620 kJ/150 kcal

1 Alles Fleisch und Knochen waschen. In einem großen Topf mit 1 1/2 l Salzwasser aufsetzen, langsam offen aufkochen. Von 1 Zwiebel nur die äußerste Schale und den Wurzelansatz entfernen, Zwiebel halbieren und die Schnittflächen bei mittlerer Hitze auf der Herdplatte oder in einer trockenen Pfanne dunkelbraun rösten, zur Suppe geben. Gemüse putzen, waschen und in grobe Stücke schneiden, mit Liebstöckel, Lorbeerblatt und Pfeffer zur Brühe geben. Den Schaum abschöpfen und die Brühe etwa 2 Std. bei schwacher Hitze zugedeckt sieden lassen.

2 Inzwischen die zweite Zwiebel schälen und würfeln. Mit der Leber durch den Fleischwolf (feine Scheibe) drehen. Petersilie fein hacken. In einer Schüssel Butter schaumig rühren, mit Ei, Semmelbröseln, 1 EL Petersilie und dem Leberpüree mischen, mit Salz, Pfeffer und Majoran abschmecken. Etwa 30 Min. zugedeckt kühl stellen.

3 Die fertige Brühe durch ein Sieb gießen und auffangen, wieder zurück in den Topf geben. Bei schwacher Hitze leise sieden lassen, mit zwei Teelöffeln aus der Lebermasse ein längliches Klößchen formen, in die Brühe legen und etwa 5 Min. garen: Zerfällt das Probenockerl, noch mehr Semmelbrösel zur Lebermasse geben. Dann die ganze Masse zu kleinen Nockerln formen und in der Brühe etwa 5 Min garen. Mit der restlichen Petersilie bestreut auftragen.

Tip! Das Ochsenfleisch können Sie gut für einen Rindfleischsalat verwenden.

Usedomer Hühnersuppe

Aus Mecklenburg · Würzig

Geflügelbrühe mit Fleischeinlage und Salzgurken

Zutaten für 4 Portionen:
500 g Hühnerklein (Hals, Flügel, Herz, Magen)
1 Hähnchenbrust mit Knochen
1 Bund Suppengemüse · Salz
2 Lorbeerblätter · 2 Zwiebeln
2 kleine Möhren · 2 EL Butter
2 Salzgurken · Salzgurken-Lake
weißer Pfeffer, frisch gemahlen
2 ganz frische Eigelb
125 g saure Sahne
1 EL gehackte Petersilie

Zubereitungszeit: 30 Min. (+ 1 Std. Garen)
Pro Portion: 1500 kJ/360 kcal

1 Hühnerklein und Hähnchenbrust waschen, Suppengemüse putzen und zerkleinern. Alles in einem Topf mit 1 1/2 l Wasser, Salz und Lorbeerblättern aufsetzen. Gut 1 Std. zugedeckt bei schwacher Hitze köcheln lassen. Brühe durch ein Sieb gießen und auffangen. Die Hühnerteile enthäuten, Fleisch ablösen und in feine Streifen schneiden.

2 Die Zwiebeln schälen und würfeln, Möhren schälen, längs halbieren und in streichholzdicke Streifen schneiden. Im gereinigten Suppentopf die Zwiebelwürfel in Butter goldgelb dünsten, die Möhren dazugeben und kurz anschmoren. Gurken in nicht zu dünne Streifen schneiden, einrühren und mit 1 l von der Hühnerbrühe und 1 Tasse Gurkenlake auffüllen. Kräftig mit Salz und Pfeffer würzen, etwa 5 Min. bei schwacher Hitze sieden lassen. In einer Schüssel Eigelb und saure Sahne verquirlen. Suppe vom Herd nehmen, die Eiersahne unterrühren. Hühnerfleisch dazugeben, kurz erwärmen, nicht kochen lassen. Mit gehackter Petersilie bestreut servieren.

Wichtiger Hinweis: Bitte verwenden Sie nur ganz frische Eier von freilaufenden Hühnern, um das Salmonellenrisiko zu verringern.

Suppe mit Schälklößen

Aus dem Spreewald · Würzig

Gemüsesuppe mit Nudelrollen als Einlage

Zutaten für 4–6 Portionen:
750 g Rindfleischknochen
Salz
1 Zwiebel · 2 Möhren
1/4 Sellerieknolle (etwa 250 g)
1/2 Stange Lauch
1 Lorbeerblatt
250 g Mehl
2 Eier · Muskat
50 g Butter
3 EL Paniermehl (oder Semmelbrösel)
1 EL Hartweizen-Grieß
Mehl für die Arbeitsfläche
1 EL gehackte Petersilie

Zubereitungszeit: 45 Min. (+ 2 1/4 Std. Garen)

Bei 6 Portionen pro Portion: 1200 kJ/290 kcal

1 Knochen abspülen und in einem Topf mit 1 1/4 l Salzwasser aufkochen. Zwiebel schälen und halbieren. Möhren, Sellerie und Lauch waschen, die Hälfte in grobe Stücke schneiden, mit Zwiebel und Lorbeerblatt zur Suppe geben. Den Schaum abschöpfen, die Suppe bei schwacher Hitze zugedeckt etwa 2 Std. sieden lassen.

2 Für die Schälklöße das Mehl in eine Schüssel geben, eine Vertiefung in die Mitte drücken, die Eier mit 2 EL Wasser verquirlen und in die Mitte gießen. Mit einer Prise Salz und Muskat bestreuen und das Ganze zu einem festen Teig verkneten, eventuell noch mehr Wasser dazugeben. Zugedeckt etwa 30 Min. ruhen lassen.

3 Das übrige Wurzelgemüse schälen und in sehr feine Streifen schneiden. In einem Topf Butter zerlassen. Paniermehl und Grieß vermischen.

4 Den Teig auf einem mit Mehl bestreuten Küchentuch zu einem großen Rechteck ausrollen. Mit der zerlassenen Butter bestreichen und mit dem Paniermehl-Grieß bestreuen, dabei an der Längsseite einen Rand frei lassen. Mit dem Tuch zu einer schmalen, etwa fingerdicken Rolle aufrollen, den freien Rand mit Wasser bestreichen und festdrücken.

5 Die Rolle mit einem Rührlöffelstiel in kleine schräge Rauten zerteilen, die Ränder sollen dabei gut zusammengedrückt werden, damit die Füllung beim Garen nicht austritt. Mit einem Messer durchtrennen.

6 Die Fleischbrühe durch ein Sieb abgießen und dabei auffangen. Die Brühe wieder aufkochen und abschmecken. Die Gemüsestreifen und die Schälklöße einlegen und bei schwacher Hitze etwa 15 Min. offen garen. Mit gehackter Petersilie bestreut servieren.

Variante: Schwäbische Maultaschen
Die Ähnlichkeit mit der Spezialität aus Schwaben ist groß. Dort wird der Nudelteig wie oben zubereitet, aber zu zwei Platten ausgerollt. Auf eine Platte in kleinen Häufchen eine Füllung aus 200 g gedünstetem und gehacktem Spinat, vermischt mit 150 g Hackfleisch, 1/2 eingeweichten und ausgedrückten Brötchen, 1 gehackten Zwiebel, 1 EL Petersilie und 1 Ei geben, mit Salz, Pfeffer, Muskat und Majoran würzen. Zweite Teigplatte darüber decken, festdrücken, zwischen der Füllung mit einem Teigrädchen zu Rechtecken ausradeln. In Brühe garen und darin mit Schnittlauchröllchen bestreut anrichten oder abgetropft mit in Butter gebratenen Zwiebelringen servieren.

Badische Schneckensuppe

Für Gäste · Geht schnell

Cremesuppe mit Weinbergschnecken

Zutaten für 4 Portionen:
36 Weinbergschnecken (aus der Dose)
1 kleine Zwiebel
je 50 g Möhren und Selleriewurzel
2 EL Butter
3/4 l kräftige Fleischbrühe (selbstgemacht oder Fertigprodukt)
1/4 l Weißwein (z. B. Ruländer)
8 kleine Scheiben Weißbrot
2 ganz frische Eigelb
Macis (Muskatblüte), gemahlen
Salz
weißer Pfeffer, frisch gemahlen
1 EL gehackte Petersilie

Zubereitungszeit: 30 Min.

Pro Portion: 1500 kJ/360 kcal

1 Weinbergschnecken in ein Sieb schütten, den Saft auffangen. Die Hälfte der Schnecken fein zerschneiden. Die Zwiebel und das Wurzelgemüse schälen, sehr fein würfeln, in einem Topf in der Butter andünsten, die zerkleinerten Schnecken dazugeben.

2 Brühe, Wein und den Abtropfsaft der Schnecken sowie die ganzen Schnecken dazugeben und etwa 10 Min. bei schwacher Hitze offen garen.

3 Das Weißbrot im Toaster knusprig braun rösten (oder in etwas Butter in einer Pfanne bräunen), in vier Suppentassen oder kleine tiefe Teller legen. Die Eigelbe mit etwas Brühe und einer Prise Macis verrühren, unter Rühren in die heiße, aber nicht mehr kochende Suppe rühren. Mit Salz und Pfeffer abschmecken, sofort über die Brotscheiben verteilen und mit Petersilie bestreut servieren.

Info: Bei der oben beschriebenen Zubereitung kommt es sehr auf die Brühe an – am besten wäre eine gute Kalbsbrühe, aus einem Kalbsfuß oder einem Stück Haxe mit knorpelreichen Knochen gekocht (Suppengemüse und Lorbeerblatt nicht vergessen).

Wichtiger Hinweis: Bitte verwenden Sie nur ganz frische Eier von freilaufenden Hühnern, um das Salmonellenrisiko zu verringern.

Münsterländer Festsuppe

Braucht etwas Zeit

Fleischbrühe mit Einlage

Zutaten für 4 Portionen:
1 l kräftige Fleischbrühe
(selbstgemacht oder Fertigprodukt)
125 g Rinderhackfleisch
75 g frische Champignons
75 g kleine Blumenkohlröschen
75 g frische grüne Erbsen
2 reife Tomaten
2 Eier · 2 EL Sahne · Salz
schwarzer Pfeffer, frisch gemahlen
Butter zum Ausfetten
1 Markknochen · 2 EL Semmelbrösel
1 TL gehackte Petersilie
1 Prise Muskat
4 EL trockener Sherry
4 EL Petersilienblättchen

Zubereitungszeit: 1 Std. 10 Min.

Pro Portion: 850 kJ/200 kcal

1 Fleischbrühe in einen Topf geben, mit dem Hackfleisch verrühren und langsam aufkochen. Etwa 15 Min. bei schwacher Hitze offen köcheln lassen, dann durch ein Sieb, das mit einem Tuch ausgelegt ist, gießen und auffangen.

2 Champignons putzen und in feine Blättchen schneiden. Blumenkohlröschen und Erbsen waschen, abtropfen lassen. Tomaten überbrühen, häuten, entkernen und klein würfeln, dabei von den Stielansätzen befreien.

3 Für den Eierstich 1 Ei mit Sahne, Salz und Pfeffer verrühren, es darf sich kein Schaum bilden. In eine ausgefettete Tasse füllen, diese mit Pergamentpapier abdecken. Die Tasse in einen Topf stellen. Den Topf bis 2 cm unter den Tassenrand mit heißem Wasser füllen. Die Eier-Sahne-Mischung etwa 15 Min. bei schwacher Hitze im geschlossenen Topf sieden lassen. Eierstich herausnehmen und abkühlen lassen.

4 Für die Markklößchen Mark aus dem Knochen drücken, abspülen und fein würfeln. Bei schwacher Hitze auslassen, dann durch ein Sieb gießen und mit dem zweiten Ei, Semmelbröseln, Salz, gehackter Petersilie und Muskat zu einem festen Teig verrühren. Mit nassen Händen haselnußgroße Klößchen daraus drehen.

5 Das Gemüse (ohne die Tomaten) in der Brühe etwa 5 Min. garen. Markklößchen einlegen und leise siedend etwa 7 Min. garen. Eierstich aus der Tasse stürzen, in etwa 1 cm dicke Streifen schneiden, mit den Tomatenwürfeln in der Suppe erhitzen. Suppe mit Sherry abschmecken und mit Petersilienblättchen bestreut anrichten.

Hamburger Aalsuppe

Süß-sauer · Deftig

Fleischbrühe mit Aal, Dörrobst und Schwemmklößchen

Zutaten für 4 Portionen:
1 geräucherter Schinkenknochen (oder 500 g geräucherter Speck)
75 g Dörrpflaumen
75 g Dörrbirnen · 2 Möhren
2 Petersilienwurzeln
½ Stange Porree (Lauch)
100 g frische grüne Erbsen
150 g Spargel
300 g frischer Aal, küchenfertig vorbereitet (ohne Haut)
5 EL Weißweinessig
60 g Mehl · ⅛ l Milch
Salz · Zucker · 1 Ei · Muskat
2 EL gemischte gehackte Kräuter
schwarzer Pfeffer, frisch gemahlen

Zubereitungszeit: 1¼ Std. (+ 2 Std. Garen)
Pro Portion: 5000 kJ/1200 kcal

1 Schinkenknochen oder Speck in einen Topf mit gut 1 ½ l Wasser aufsetzen und etwa 2 Std. zugedeckt bei schwacher Hitze kochen lassen. Dörrobst mit ¼ l kochendem Wasser übergießen und ½–1 Std. quellen lassen.

2 Nach etwa 1 ½ Std. Gemüse waschen und putzen, Wurzelgemüse und Spargel schälen, alles in nicht zu kleine Stücke schneiden. Den Aal waschen, in etwa 5 cm lange Stücke schneiden und in eine Schüssel geben. 3 EL Essig mit ¼ l Wasser aufkochen, über den Aal gießen und etwa 20 Min. ziehen lassen.

3 Für die Schwemmklößchen das Mehl mit Milch, Salz und einer Prise Zucker in einen Topf geben und unter Rühren zu einem festen Brei kochen. Etwas abkühlen lassen, dann ein Ei verquirlen und untermischen. Mit Muskat würzen. Den Brei mit zwei Teelöffeln zu kleinen Klößchen formen.

4 Schinkenbrühe durch ein Sieb abgießen, auffangen, wieder aufkochen. Dörrobst mitsamt dem Einweichwasser, Wurzelgemüse und Porree etwa 5 Min. bei schwacher Hitze in der Brühe garen, dann den Aal abgießen und mitsamt dem Spargel und den Erbsen dazugeben, etwa 5 Min. weiter garen. Die gehackten Kräuter einrühren.

5 In die siedende Brühe die Schwemmklößchen geben und noch 7–10 Min. garen. Die Suppe sehr pikant mit Salz, Pfeffer und dem restlichen Essig abschmecken.

Kräutlsuppe

Aus Bayern · Gelingt leicht

Suppe mit Kerbel oder Kräutern

Zutaten für 4 Portionen:
150 g Kerbel (ersatzweise gemischte Kräuter)
5 EL Butter
3 EL Mehl
1 l kräftige Fleischbrühe (selbstgemacht oder Fertigprodukt)
2 altbackene Semmeln (Brötchen)
125 g Rahm (süße Sahne)
Salz
Pfeffer, frisch gemahlen

Zubereitungszeit: 30 Min.

Pro Portion: 1400 kJ/330 kcal

1 Kerbel verlesen, waschen, trockenschütteln und fein hacken. In einem Topf 3 EL Butter schmelzen lassen, das Mehl darin hellgelb anrösten. Unter Rühren die Fleischbrühe aufgießen und etwa 10 Min. bei schwacher Hitze köcheln lassen.

2 Inzwischen die Semmeln in zentimeterdicke Scheiben schneiden, in der restlichen Butter auf beiden Seiten anrösten. Den Kerbel in die Suppe rühren, Rahm dazugießen, salzen und pfeffern, noch einmal aufkochen. Suppe auf vier Teller über die Semmelscheiben verteilen.

Info: Früher gab es am Gründonnerstag eine Fastenspeise mit frischen Kräutern, in Bayern vor allem die Kräutlsuppe, die heute nur noch mit Kerbel zubereitet wird. Ursprünglich gehörten aber genau neun Wildkräuter hinein, zum Beispiel Bachkresse und zarte Brennesselblätter, Sauerampfer, junger Löwenzahn, Gänseblümchen und Rapunzel (Acker-Glockenblume), Giersch sowie ein wenig Schafgarbe und Gundermann. Von letzterem mußte eine ungerade Zahl an Blättern verwendet werden – denn dann, so hieß es, sei er gegen Kopfschmerzen und als Wundheilmittel hilfreich.

FISCH, FLEISCH & GEFLÜGEL

Sicher erstaunt es niemanden, daß Fisch an der Küste eine wesentliche Rolle spielt. Doch auch im Binnenland wurde schon immer Fisch gegessen, schließlich galt er als Fastenspeise, und Fastentage gab es reichlich. Die Süßwasserfischzucht in Teichen wurde schon im Mittelalter begründet, um frische Karpfen, Schleien, Hechte und Aale auf Vorrat zu halten. In Flüssen und Bächen gab es einst Lachse und Forellen, besonders die würzigen rotgepunkteten Schwarzwaldforellen gelten heute noch als außergewöhnliche Delikatesse.

Der Deutschen liebstes Tier ist das Schwein. Knusprige Schweinebraten sind nicht nur in Süddeutschland als Sonntagsgericht beliebt. Früher mußte das leicht verderbliche Fleisch haltbar gemacht werden, das geschah durch Einsalzen oder Pökeln, Räuchern und Verwursten. So gehören Pökelfleisch und Schinken, Speck oder Würste nach wie vor zu den alltäglichen Zutaten. Rindfleisch kam früher seltener auf den Tisch, meist waren die Tiere schon betagt, und ihr Fleisch mußte durch das Einlegen in einen Essigsud mürbe gemacht werden. Ergebnis war der Sauerbraten, der im Rheinland wie in Nordrhein-Westfalen hoch geschätzt wird.

Wild war einst der fürstlichen Tafel vorbehalten, nur in waldreichen Gebieten wie dem Odenwald konnten Hirsch, Reh und Wildschwein schon frühzeitig die bürgerliche Tafel erobern, wo sie zu festlichen Anlässen als Braten zubereitet wurden.

Hühner und Gänse wurden auf dem Land und sogar in den Hinterhöfen der Städte gehalten, doch nur zu Festtagen selbst gegessen. Die Hühner hielt man der Eier wegen, die Gänse waren als Braten vom Martinstag bis Weihnachten geschätzt, vor allem Pommern galt als Gänseland. Enten sind besonders in Schleswig-Holstein und in den Vierlanden bei Hamburg begehrt.

Matjes mit grünen Bohnen

Aus Hamburg · Geht schnell

Heringsfilets, mildgesalzen, mit Bohnen und Specksauce

Zutaten für 4 Portionen:
8 Matjesfilets
500 g zarte Brechbohnen
Salz
1 Bund Bohnenkraut
125 g fetter Speck
2 Zwiebeln
3 Zweige glatte Petersilie
1/2 Bund Dill
30 g Butter

Zubereitungszeit: 45 Min.

Pro Portion: 2800 kJ/670 kcal

1 Matjesfilets waschen und trocknen. Bohnen waschen, Spitze und Stengel mit einer Schere abschneiden. Bohnen in einem Topf in reichlich Salzwasser mit Bohnenkraut je nach Dicke 8–12 Min. offen kochen. In ein Sieb abgießen, abschrecken und abtropfen lassen.

2 Speck würfeln, Zwiebeln schälen und fein hacken. Petersilie und Dill waschen und fein hacken. Speckwürfel in einer Pfanne auslassen, die Hälfte der Zwiebeln darin leicht anbräunen. In einer zweiten Pfanne die Butter zerlassen, Petersilie andünsten und die Bohnen darin unter Schwenken erhitzen.

3 Matjesfilets auf einer Platte anrichten, mit den restlichen Zwiebelwürfeln und dem gehacktem Dill bestreuen. Die heißen Bohnen und die Specksauce extra dazu reichen. Als Beilage passen Salzkartoffeln (Beilagen-Tip S. 61).

Getränke: Dazu schmeckt am besten ein kühles Bier und ein klarer Kornschnaps hinterher.

Info: Rohprodukt für Matjes sind fettreiche junge Heringe oder solche, die noch keinen Ansatz von Milch oder Rogen zeigen. Diese werden in Fässern mild gesalzen, denn das Salz entzieht Wasser und läßt das Fischeiweiß gerinnen. Durch Enzyme, die sich im Fisch befinden oder die zugesetzt werden, entwickelt sich dann während der Reifung der typische Geschmack.

Forelle in Riesling

Aus Baden

Forelle, in würzigem Weinsud pochiert

Zutaten für 4 Portionen:
4 Forellen (je etwa 350 g), küchenfertig vorbereitet
Saft von 1/2 Zitrone · Salz
weißer Pfeffer, frisch gemahlen
3 Möhren
3 Petersilienwurzeln
1 Zwiebel
1 Lorbeerblatt · 3 Nelken
1 Bund Frühlingszwiebeln
250 g kleine Champignons
350 ml trockener Riesling
2 EL Weißweinessig
3 EL Butter

Zubereitungszeit: 50 Min.

Pro Portion: 2100 kJ/500 kcal

1 Forellen nur innen waschen, mit Zitronensaft beträufeln, salzen und pfeffern. Möhren und Petersilienwurzeln schälen und in nicht zu dünne Scheiben schneiden. Die Zwiebel schälen und halbieren. Eine Hälfte einschneiden und das Lorbeerblatt in den Einschnitt stecken, die andere Hälfte mit den Nelken spicken.

2 In einem Topf, in dem später auch die Forellen Platz haben, 1 l Salzwasser mit den Zwiebelhälften und dem geschnittenen Gemüse aufsetzen, etwa 10 Min. bei schwacher Hitze zugedeckt köcheln lassen.

3 Inzwischen die Frühlingszwiebeln waschen, Wurzelenden und ein Stück vom grünen Ende abschneiden, dann quer halbieren. Champignons abreiben, die Stiele abschneiden. Frühlingszwiebeln und Champignons in den Sud geben und noch etwa 5 Min. mitgaren. Wein und Essig dazugießen, aufkochen und die Forellen hineinlegen, sie sollen gerade vom Sud bedeckt sein. Zugedeckt bis zum leisen Sieden erhitzen, dann bei ganz schwacher Hitze 10–15 Min. ziehen lassen.

4 Die gespickten Zwiebelhälften entfernen. Die Forellen auf Tellern anrichten und mit dem Gemüse umgeben. Etwas Kochsud mit der Butter verrühren und über die Fische gießen. Dazu passen Salzkartoffeln (Beilagen-Tip S. 61), mit Petersilie betreut.

Kirmes-Karpfen mit Klößen

Aus Thüringen · Braucht etwas Zeit

Karpfen mit rohen Kartoffelklößen

Zutaten für 4 Portionen:
1,25 kg rohe Kartoffeln, mehligkochend
Salz · 1/8 l Milch
1 Karpfen (etwa 1,5 kg), küchenfertig vorbereitet
3 Zwiebeln · 400 g Möhren
1/2 Sellerieknolle (etwa 500 g)
200 g Butter
schwarzer Pfeffer, frisch gemahlen
2 Lorbeerblätter
1 EL Pfefferkörner
2 Nelken · Zucker
50 g altbackenes Weißbrot
50 g Butter

Zubereitungszeit: 1 Std. (+ 55 Min. Garen)

Pro Portion: 4600 kJ/1100 kcal

1 Für die Klöße die Kartoffeln schälen, 250 g abwiegen und etwa 25 Min. in Salzwasser garen. Die restlichen Kartoffeln in kaltes Wasser reiben. Die Kartoffeln mit dem Wasser in ein mit einem Tuch ausgelegtes Sieb gießen, das Wasser auffangen. Kartoffeln im Tuch sehr gut ausdrücken. Wieder das Wasser auffangen. Wenn sich die Kartoffelstärke im Wasser abgesetzt hat, das darüberstehende Wasser vorsichtig abgießen.

2 Die ausgedrückten Kartoffeln in eine Schüssel geben, die Stärke dazurühren. Milch aufkochen lassen und dazugießen. Die gegarten Kartoffeln abgießen und heiß durch eine Kartoffelpresse zu der Kartoffelmasse geben, gut mit einem Löffel vermengen, bis sich der Teig vom Schüsselrand löst.

3 Den Karpfen waschen, trockentupfen und in Portionsstücke zerlegen. Zwiebeln und Gemüse schälen und in Scheiben schneiden. In einem Topf in Salzwasser etwa 5 Min. kochen, abgießen und abtropfen lassen.

4 In einen hohen schmalen Topf zuerst etwas von dem vorbereiteten Gemüse legen, darauf einige Karpfenstücke und ein Teil der Butter in Flöckchen, mit Salz und Pfeffer würzen. Darüber wieder Gemüse, Fisch und Butter, diesmal noch Lorbeerblätter, Pfefferkörner, Nelken und eine Prise Zucker geben, dann wieder Gemüse, Fisch und Butter, bis alles aufgebraucht ist. Den Topf etwas rütteln, so viel Wasser angießen, daß die letzte Lage gerade bedeckt ist. Zugedeckt langsam aufkochen und bei schwächster Hitze etwa 30 Min. ziehen lassen.

5 Inzwischen Weißbrot in kleine Würfel schneiden und in 20 g Butter braun rösten. Mit nassen Händen aus dem Kartoffelteig etwa 12 Klöße formen, dabei in die Mitte Brotwürfel drücken. Gut 2 l Salzwasser aufkochen, die Klöße einlegen und bei schwacher Hitze etwa 25 Min. darin ziehen lassen.

6 Den fertigen Karpfen mit dem Gemüse auf einer Platte anrichten, restliche Butter in einem Pfännchen hellbraun rösten und darüber gießen. Den Gemüsesud als Sauce und die Klöße extra dazu servieren.

Info: Der Karpfen, ein fetter Süßwasserfisch, spielt schon lange eine wichtige Rolle in der deftigen bürgerlichen Küche. Seit dem 13. Jahrhundert wurde er als Teichfisch in Europa eingeführt und meist an Fest- und Feiertagen – wie der Kirmes (Kirchweih) – gegessen. Hauptnahrungsmittel der Thüringer aber sind die Klöße, jede Familie hat dafür ihr eigenes Rezept. Typisch ist, daß sie immer ohne Eier zubereitet werden. Sie werden auch »grüne« Klöße genannt, weil sie überwiegend aus roh geriebenen Kartoffeln hergestellt werden. In Thüringen werden die Klöße mehr als jede Gemüsebeilage geschätzt, deshalb darf es nicht zu wenige davon geben.

Schellfisch mit Mostrich

Aus Berlin · Herzhaft

Schellfisch mit Senf-Butter-Sauce

Zutaten für 4 Portionen:
1 kg Schellfisch (ohne Kopf), küchenfertig vorbereitet
1/2 unbehandelte Zitrone
Salz · 1 Zwiebel
1/2 Bund krause Petersilie
1 EL schwarze Pfefferkörner
1 EL Pimentkörner · 1 Nelke
1 Lorbeerblatt
1 EL scharfer Mostrich (Senf)
150 g Butter
schwarzer Pfeffer, frisch gemahlen
Zitronenspalten zum Garnieren

Zubereitungszeit: 45 Min.

Pro Portion: 1900 kJ/450 kcal

1 Vom Schellfisch Schwanz und Flossen abschneiden. Den Fisch unter fließendem Wasser kurz waschen. Zitrone auspressen, den Fisch rundum mit Saft beträufeln und salzen.

2 Von der Zitrone die Schale dünn abschneiden. Zwiebel schälen und vierteln. Petersilie waschen, Stengel abschneiden, das Grün zur Seite legen. Die Stengel mit Zwiebel, Zitronenschale, Pfeffer- und Pimentkörnern, Nelke und Lorbeerblatt in einen länglichen Bräter oder Fischkochtopf geben, 1 1/2 l leicht gesalzenes Wasser dazuschütten, aufkochen und zugedeckt etwa 20 Min. bei schwacher Hitze sieden lassen.

3 Dann den Schellfisch vorsichtig einlegen und etwa 10 Min. zugedeckt sieden lassen, das Wasser darf dabei nicht kochen. Den Topf vom Herd nehmen, 200 ml Brühe abschöpfen und in einer Kasserolle bei schwacher Hitze offen um die Hälfte einkochen. Den Mostrich dazurühren und die kalte Butter in kleinen Stücken nach und nach in den kochenden Fond quirlen. Mit Salz und Pfeffer abschmecken.

4 Den Schellfisch vorsichtig aus dem Sud heben, auf einer Platte anrichten, mit Zitronenspalten und dem Petersiliengrün garnieren. Die Sauce extra reichen. Dazu passen Salzkartoffeln (Beilagen-Tip S. 61).

Muscheln rheinische Art

Würzig · Gelingt leicht

Miesmuscheln in Weißweinsud

Zutaten für 4 Portionen:
2 kg Miesmuscheln
2 Zwiebeln
1/2 Stange Lauch
2 Möhren
1/8 Sellerieknolle (etwa 100 g)
1/4 l Weißwein
2 Lorbeerblätter
1 EL Pfefferkörner
Salz
Zum Servieren: Schwarzbrot und Butter

Zubereitungszeit: 45 Min.

Pro Portion: 790 kJ/190 kcal

1 Muscheln in kaltes Wasser schütten. Alle geöffneten Muscheln, die sich bei leichtem Anklopfen nicht schließen oder deren Schale beschädigt ist, wegwerfen. Muscheln dann unter fließendem Wasser bürsten, dabei die harten Fäden entfernen. Muscheln abtropfen lassen.

2 Die Zwiebeln schälen und in Streifen schneiden, Lauch waschen und kleinschneiden. Möhren und Sellerie schälen und in dünne Scheiben schneiden.

3 In einem großen Topf Weißwein mit 1/8 l Wasser, Gemüse, Lorbeer, Pfefferkörnern und Salz aufsetzen, etwa 15 Min. offen kräftig kochen lassen. Muscheln hineingeben, Topf verschließen und bei starker Hitze garen. Den Topf hin und wieder schütteln, damit die Muscheln gleichmäßig gar werden.

4 Nach etwa 5 Min. die Muscheln mit dem Schaumlöffel herausnehmen. Muscheln, die sich nicht geöffnet haben, wegwerfen. Geöffnete Muscheln auf tiefe Teller verteilen und vorsichtig mit dem Kochsud übergießen (den sandigen Bodensatz im Topf zurücklassen).

5 Teller für die Schalen bereitstellen. Die erste Muschel wird mit einer Gabel herausgenommen, für die weiteren verwendet man eine geöffnete Muschelschale als Zange. Der Sud wird ausgelöffelt. Dazu ißt man im Rheinland Schwarzbrot mit Butter.

Schnitzel »Holstein«

Kalbsschnitzel, reich garniert

Aus Berlin · Geht schnell

Zutaten für 4 Portionen:
4 Kalbsschnitzel (je etwa 120 g)
6 EL Butter
6 Scheiben Toastbrot
2 Zweige Petersilie · Salz
schwarzer Pfeffer, frisch gemahlen
4 Eier
4 Sardellenröllchen
4 kleine Ölsardinen
4 Scheiben Räucherlachs
2 EL kleine Kapern

Zubereitungszeit: 30 Min.

Pro Portion: 2900 kJ/690 kcal

1 Backofen auf 75° vorheizen. Schnitzel leicht klopfen und in einer Pfanne in 3 EL Butter bei mittlerer Hitze etwa 4 Min. auf jeder Seite braten.

2 Die Toastscheiben entrinden, diagonal halbieren. Petersilie waschen und hacken. Die Schnitzel aus der Pfanne nehmen, salzen und pfeffern, im Backofen (Gas niedrigste Stufe, Umluft 50°) warm stellen.

3 In der Bratbutter die Toastdreiecke auf beiden Seiten rösten, herausnehmen. Restliche Butter in der Pfanne erhitzen und vier Spiegeleier braten. Inzwischen je 4 Toastdreiecke mit der gleichen Fischsorte (Sardellen, Ölsardinen, Lachs) belegen.

4 Zum Anrichten die Schnitzel auf Teller verteilen, mit jeweils einem Spiegelei belegen. Je drei unterschiedliche Toastdreiecke dazulegen. Sardellentoasts mit der gehackten Petersilie bestreuen, die Kapern über Schnitzel und Spiegelei verteilen. Dazu gehören Bratkartoffeln (Beilagen-Tip S. 65).

Info: Der Diplomat Friedrich August von Holstein war nach Bismarcks Sturz 1890 als »Graue Eminenz« Ratgeber der folgenden Kanzler und Staatssekretäre. Er soll, stets in Eile, in seinem Berliner Stammlokal »Vorspeise und mein Schnitzel, schnell, schnell« verlangt haben, worauf der Küchenchef beides zusammen anrichtete.

Kalbfleisch

Schon für die Tafeln der Fürstenhäuser bevorzugte man das helle Fleisch von Kälbern, die nur mit Milch ernährt wurden. In der einfachen wie auch der bäuerlichen Küche kam Kalbfleisch nur an Festtagen und bei Hochzeiten auf den Tisch, da es schon immer sehr teuer war. Normalerweise fängt ein Kalb mit etwa zwei Monaten an, feste Nahrung zu fressen, wodurch das Fleisch dunkler wird. In Deutschland, Frankreich und England werden Kälber mit Milch und Eiweißfutter gemästet und mit 4 oder 5 Monaten geschlachtet. In Italien bevorzugt man dunkleres Kalbfleisch, das weitaus aromatischer schmeckt. Kalbfleisch ist zart, weil sich beim jungen Tier die Muskeln noch nicht ausgebildet haben. Soll das Fleisch weich bleiben, darf es nicht bei zu starker Hitze gebraten werden, denn es hat nur einen dünnen Fettrand und wenige Fettadern. Derberes Kalbfleisch wie Haxen, Nacken und Querrippe wird meist geschmort.

Kalbfleisch ist von heller Farbe, fettarm, zart und saftig.

Westfälischer Sauerbraten

Herzhaft · Braucht etwas Zeit

Schmorbraten, in saurem Sud mariniert

Zutaten für 4 Portionen:
1 Möhre · 4 Zwiebeln
¼ l Rotweinessig (7 % Säure)
3 Nelken · 2 Lorbeerblätter
1 EL Senfkörner
1 kg Rindfleisch zum Schmoren (Hochrippe ohne Knochen, Halsgrat)
Salz
schwarzer Pfeffer, frisch gemahlen
100 g geräucherter Bauchspeck
6 EL Öl · ⅛ l Rotwein
1 Msp. Nelkenpulver

Zubereitungszeit: 30 Min. (+ 2 Std. Schmoren + 4 Tage Marinieren)

Pro Portion: 2500 kJ/600 kcal

1 Möhre schälen und in dünne Scheiben schneiden. 2 der Zwiebeln schälen und achteln. Für die Marinade ½ l Wasser in einem Topf mit Essig, Zwiebeln, Möhre, Nelken, Lorbeerblättern und Senfkörnern aufkochen. Vom Herd nehmen und abkühlen lassen. Fleisch waschen, in die Marinade legen. Mindestens 4 Tage zugedeckt im Kühlschrank darin ziehen lassen.

2 Dann das Fleisch herausnehmen, gut trocknen, mit Salz und Pfeffer einreiben. Restliche Zwiebeln schälen. Bauchspeck und Zwiebeln in kleine Würfel schneiden. In einem Bräter Öl erhitzen und das Rindfleisch bei starker Hitze etwa 15 Min. rundum anbraten.

3 Fleisch herausheben, Öl bis auf einen kleinen Rest abgießen. Speck- und Zwiebelwürfel darin anschmoren, das Fleisch wieder darauf legen und ⅛ l Marinade angießen. Fest zugedeckt bei schwacher Hitze 1 ½ –2 Std. schmoren, dabei nach und nach den Rotwein, ¼ l Marinade mit ¼ l Wasser verdünnt, nachgießen. Etwa 20 Min. vor Ende der Garzeit den Backofen auf 75° vorheizen.

4 Nach der Garzeit das Fleisch im Ofen (Gas niedrigste Stufe, Umluft 50°) warm halten, inzwischen die Sauce durch ein Sieb streichen und mit Nelkenpulver, Salz und Pfeffer abschmecken.

Beilagen-Tip: Salzkartoffeln

750 g vorwiegend festkochende Kartoffeln schälen, in Würfel schneiden, mit knapp ½ l Wasser und 1 TL Salz in einem Topf aufkochen lassen, dann zugedeckt bei schwacher Hitze in 15–20 Min. weich garen. Eventuell verbliebene Flüssigkeit abgießen, Topf erneut auf den Herd setzen, Kartoffeln schwenken, damit auch die restliche Flüssigkeit verdampft.

Beilagen-Tip: Apfelmus

500 g säuerliche Herbstäpfel (z.B. Boskop) schälen, achteln und das Kerngehäuse entfernen. Mit ¼ l Wasser, 3 EL Zucker, Zitronensaft, Zimt und Nelken bei mittlerer Hitze nicht zu musig kochen, öfter zwischendurch den Topf schütteln.

Beilagen-Tip: Möhren

500 g Möhren schälen und in Scheiben schneiden. 1 kleine Zwiebel würfeln und in 2 EL Butter andünsten. Möhrenscheiben dazugeben, ⅛ l Fleischbrühe und eine Prise Zucker dazugeben und etwa 25 Min. garen. 1 EL Mehl mit 1 EL Butter verkneten und den Möhrensud zum Schluß unter Rühren mit dieser Mehlbutter binden, mit Salz, Pfeffer und gehackter Petersilie würzen.

Variante: Rheinischer Sauerbraten

Früher wurde im Rheinland für den echten Sauerbraten Pferdefleisch genommen, das jetzt kaum noch erhältlich ist. Da dieses Fleisch leicht süßlich ist, schmeckt man heute die Sauce mit Rübenkraut (Rübensirup) oder Zucker ab. Ansonsten wird er in Essigsud eingelegt wie der Westfälische Sauerbraten, beim Schmoren werden noch 50 g dunkle Brotrinden oder Saucenlebkuchen zum Binden und 50 g gewaschene Rosinen hinzugegeben. Dazu werden Kartoffelklöße und Apfelkompott serviert.

Tip! Beim Anbraten müssen Sie reichlich Öl nehmen (es wird später wieder abgegossen), sonst kühlt es beim Einlegen des Fleisches zu schnell ab und der Braten bekommt keine Kruste, sondern zieht Saft und wird zäh und faserig. Wichtig ist, daß das Fleisch nicht zu mager ist.

Schweinsbraten mit Knödeln

Aus Bayern · Braucht etwas Zeit

Bayerischer Schweine-Krustenbraten mit Kartoffelknödeln

Zutaten für 6 Portionen:
1,5 kg Schweineschulter mit Schwarte
Salz
schwarzer Pfeffer, frisch gemahlen
1 TL Kümmel
2 EL Butterschmalz
1 Schweinsfuß, längs halbiert
2 Zwiebeln · 2 Möhren
1/4 Sellerieknolle (etwa 100 g)
25 g dunkle Brotrinde

Für die Knödel:
1 kg Kartoffeln, mehligkochend
1 TL Essig-Essenz · 1/8 l Milch
350 g gekochte Kartoffeln, mehligkochend
1 Ei
eventuell etwas Mehl zum Binden oder 1 Eigelb oder 1 weiteres Ei zum Lockern des Knödelteigs
1 Semmel (Brötchen) · 20 g Butter

Zubereitungszeit: 1 1/2 Std. (+ 1 Std. Garen)

Pro Portion: 4800 kJ/1100 kcal

1 Fleisch mit Küchenpapier abreiben und rundum mit Salz, Pfeffer und grob zerstoßenem Kümmel würzen.

2 In einem Töpfchen Butterschmalz zerlassen und in die Bratenpfanne des Backofens gießen. Das Fleisch mit der Schwartenseite nach unten hineinlegen, daneben die Schweinsfußstücke.

3 Zwiebeln, Möhren und Sellerie schälen, grob würfeln. Brotrinde zerkleinern, alles um das Fleisch verteilen. 1/4 l Wasser angießen und die Bratenpfanne in den Ofen (Mitte) schieben. Auf 200° (Gas Stufe 3, Umluft 180°) schalten und etwa 1 Std. garen. Gelegentlich etwas Wasser nachgießen.

4 Dann den Braten herausnehmen und die Schwarte mit einem sehr scharfen Messer bis ins darunterliegende Fett rautenförmig einschneiden. Braten wieder in die Bratenpfanne legen, diesmal die Schwarte nach oben, die Hitze auf 175° (Gas Stufe 2, Umluft 160°) zurückschalten und nochmals etwa 1 Std. garen. Gelegentlich etwas Wasser nachgießen.

5 Inzwischen für die Knödel die rohen Kartoffeln schälen und fein reiben, sofort mit Essig verrühren, damit sie nicht braun werden. In ein mit einem Tuch ausgelegtes Sieb gießen, im Tuch fest ausdrücken, dann in eine Schüssel füllen. Milch aufkochen und darüber gießen. Die gekochten Kartoffeln durch eine Kartoffelpresse dazudrücken, Ei und 1 TL Salz untermischen.

6 Einen kleinen Probeknödel formen und bei schwacher Hitze in siedendem Salzwasser etwa 10 Min. garen. Zerfällt er, noch etwas Mehl unter den Teig kneten. Wird er zu fest, noch ein Eigelb oder ein ganzes Ei unterkneten.

7 Die Semmel würfeln und in Butter braun rösten. Aus dem Kartoffelteig mit nassen Händen tennisballgroße Knödel formen, dabei die Semmelwürfel in die Mitte drücken. In leise siedendem Salzwasser bei schwacher Hitze offen etwa 25 Min. garen.

8 Etwa 20 Min. vor Garzeitende des Bratens 1 EL Salz mit 1 Tasse Wasser verrühren und die Schwarte damit einpinseln, damit sie knusprig wird. Nach 10 Min. nochmals einpinseln. Dabei auf 250° (Gas Stufe 5, Umluft 220°) hochschalten, wenn die Schwarte noch nicht knusprig genug ist.

9 Nach der Bratzeit das Fleisch aus der Bratenpfanne nehmen und auf einer Platte im ausgeschalteten Backofen warmhalten. Den Bratensatz in der Pfanne mit 3/4 l Wasser ablöschen und unter Rühren loskochen. Dann durch ein Sieb streichen, dabei das Gemüse gut ausdrücken. Den Braten aufschneiden, mit der Sauce servieren.

Getränke: Dazu gehört traditionell ein großes helles oder dunkles Bier, aber auch ein trockener Frankenwein, z. B. ein Silvaner, paßt gut.

ZWILLING J.A.HENCKELS

Kasseler mit Pflaumen

Aus Schleswig-Holstein · Wintergericht

Gepökelter Schweinerücken, mit Pflaumen gefüllt

Zutaten für 4 Portionen:
15 Backpflaumen (oder Trockenpflaumen, verzehrfertig)
1,8 kg Kasseler-Rücken mit Knochen
50 g altbackener Lebkuchen (ohne Glasur)
2 Kardamomkapseln
1 EL Öl zum Braten
1 Zwiebel
1 säuerlicher Apfel (z. B. Boskop)
50 g Rosinen
¼ l Rotwein (z. B. Spätburgunder)
2 EL brauner Rohrzucker
Salz
Pfeffer, frisch gemahlen
Zimt, gemahlen
außerdem: Küchengarn

Zubereitungszeit: 1 Std. (+ 12 Std. Einweichen + 45 Min. Garen)

Pro Portion: 4100 kJ/980 kcal

1 Backpflaumen über Nacht in 2 Tassen Wasser einweichen (verzehrfertige müssen nicht eingeweicht werden). Den Fleischstrang vom Kasseler von den Knochen ablösen, mit der Fettseite nach unten auf ein Schneidbrett legen.

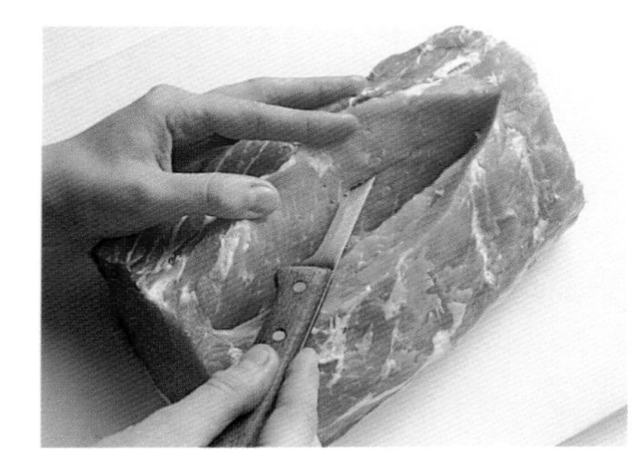

2 Zuerst der Länge nach 3–4 cm tief einschneiden, dann von diesem Schnitt aus zwei weitere Schnitte schräg nach rechts und links unten führen, so daß zwei Taschen entstehen.

3 Lebkuchen mit der Mandelmühle mahlen (notfalls auf der Küchenreibe reiben). Backpflaumen aus dem Wasser nehmen, Pflaumenwasser aufheben. Pflaumen entkernen, hacken und mit Lebkuchenbröseln mischen. So viel Pflaumenbrühe (oder Wasser) dazugeben, daß ein nicht zu weicher Teig entsteht. Kardamomkerne aus den Kapseln lösen, im Mörser zerstampfen und untermischen.

4 Die Pflaumenmasse in die Fleischeinschnitte füllen, den Braten mit Küchengarn rund binden. In einem Bräter das Öl erhitzen und das Fleisch bei starker Hitze rundum kurz anbraten.

5 Den Backofen auf 250° vorheizen. Zwiebel und Apfel schälen, kleinschneiden, beim Apfel dabei das Kerngehäuse entfernen. Beides mit den Rosinen zum Fleisch geben und andünsten, den Rotwein aufgießen.

6 Den Braten, Fettseite nach oben, mit Zucker bestreuen und in den Ofen (Mitte, Gas Stufe 5, Umluft 220°) schieben, etwa 5 Min. braten, dann die Hitze auf 125° (Gas Stufe 1, Umluft 110°) zurückschalten und das Fleisch etwa 45 Min. offen garen.

7 Den fertigen Braten aus der Sauce heben und noch etwa 5 Min. im ausgeschalteten Ofen ziehen lassen, inzwischen die Sauce durch ein Sieb passieren, mit Salz, Pfeffer und einer Prise Zimt abschmecken. Garn entfernen, den Braten aufschneiden, mit Sauce servieren. Dazu passen Bratkartoffeln und Sauerkraut (Beilagen-Tip).

Getränke: Dazu schmeckt ein Pils und hinterher ein eisgekühlter Kornschnaps. Oder ein spritziger Moselwein.

Beilagen-Tip: Bratkartoffeln
750 g kleine, festkochende Kartoffeln in der Schale in ½ l Wasser etwa 25 Min. garen, pellen, dann in einer Pfanne in 3 EL Butterschmalz rundum braun braten.

Beilagen-Tip: Sauerkraut »Holstein«
1 gehackte Zwiebel in Schweineschmalz andünsten, 500 g kleingeschnittene Äpfel und 500 g Sauerkraut mitbraten. ½ l milde Brühe, 1 TL Kümmel und die ausgelösten Kasselerknochen dazugeben, etwa 40 Min. bei schwacher Hitze zugedeckt garen. Vor dem Anrichten die Knochen entfernen.

Königsberger Klopse

Aus Ostpreußen · Würzig

Klößchen aus Kalbshack in Kapernsauce

Zutaten für 4 Portionen:
1 altbackenes Brötchen
2 kleine Zwiebeln · 40 g Butter
2 kleine Eier
1 unbehandelte Zitrone
500 g Kalbshackfleisch
(oder Rinder- und Schweinehackfleisch gemischt)
Salz
weißer Pfeffer, frisch gemahlen
1/2 TL Majoran
1 l milde Fleischbrühe (selbstgemacht oder Fertigprodukt)
1 Lorbeerblatt · 1 TL Piment
30 g Mehl · 1 EL mittelscharfer Senf
3 EL kleine Kapern
100 g Schmant (dicke süße Sahne)
1 Prise Zucker

Zubereitungszeit: 1 Std.

Pro Portion: 3200 kJ/760 kcal

1 Vom Brötchen die Rinde abreiben, die Brösel aufheben, Brötchen etwa 5 Min. in kaltem Wasser einweichen, dann fest ausdrücken. Zwiebeln schälen, 1 Zwiebel vierteln und beiseite legen, die andere fein würfeln und in 10 g Butter goldgelb braten, abkühlen lassen.

2 Die Eier trennen. 1 TL Zitronenschale abreiben, mit Hackfleisch, den Zwiebelwürfeln, 2 Eiweißen, dem Brötchen, den Bröseln, Salz, Pfeffer und Majoran gründlich verkneten.

3 Mit angefeuchteten Händen Klopse von etwa 4 cm Durchmesser formen. In einem breiten Topf gut 1 l Fleischbrühe mit der geviertelten Zwiebel, Lorbeerblatt und Piment aufkochen, die Klopse darin offen etwa 15 Min. bei schwacher Hitze sieden lassen, dann herausheben. Kochsud aufheben.

4 Die restliche Butter erhitzen, das Mehl darin anschwitzen. 650 ml Kochsud absieben und unter Rühren aufgießen. Senf und Kapern einrühren. Schmant mit den beiden Eigelben verquirlen, in die heiße, aber nicht kochende Sauce quirlen. Die Zitrone auspressen. Sauce mit 3 EL Saft, Salz, Pfeffer und Zucker abschmecken. Klopse in der Sauce nochmals erwärmen, aber nicht kochen lassen, sofort servieren. Dazu passen Salzkartoffeln (Beilagen-Tip S. 61) und saure Gurken.

Info: Heute noch lebt die ostpreußische Küche in vielen deutschen Familien weiter, aber es wird nicht mehr so schwer und fett wie früher gekocht. Die Sardellen, die häufig unter den Fleischteig gemischt werden, haben sich erst später in das Rezept eingeschlichen und sind nicht ursprünglich.

Lippischer Potthast

Aus Westfalen · Deftig

Rindfleischtopf mit Dörrpflaumen

Zutaten für 4 Portionen:
1 kg Rindfleisch
100 g Schweineschmalz
Salz
schwarzer Pfeffer, frisch gemahlen
1 kg Zwiebeln
$^3/_4$ l Fleischbrühe (selbstgemacht oder Fertigprodukt)
2 Scheiben Vollkornbrot
250 g Dörrpflaumen (Trockenpflaumen)
Weißweinessig

Zubereitungszeit: 30 Min. (+ 2 Std. Garen)

Pro Portion: 3200 kJ/760 kcal

1 Das Fleisch in etwa 4 cm große Würfel schneiden. Das Schmalz in einem Bräter erhitzen, die Fleischwürfel portionsweise bei starker Hitze rundum braun anbraten, mit Salz und Pfeffer würzen, aus dem Topf heben, kurz beiseite stellen.

2 Die Zwiebeln schälen und hacken, im Bratfett hellbraun braten. Die Fleischwürfel wieder dazugeben und mit Brühe aufgießen, so daß sie gerade bedeckt sind. Etwa 30 Min. bei schwacher Hitze zugedeckt schmoren.

3 Dann das Vollkornbrot zerbröseln und mit den Dörrpflaumen dazugeben. Alles noch 1–1$^1/_2$ Std. zugedeckt garen, dabei gelegentlich umrühren, damit nichts anhängt. Mit Salz, Pfeffer und einem kräftigen Schuß Essig würzen. Dazu paßt Brot.

Getränke: Zu diesem Gericht schmeckt ein Pils oder ein spritziger Mosel-Riesling.

Tip! Der Eintopf kann auch zugedeckt im Backofen bei 190° (Gas Stufe 2–3, Umluft 175°) gegart werden, dabei ist das Umrühren nicht nötig.

Kalbsleber Berliner Art

Geht schnell

Leberscheiben mit Äpfeln und Zwiebeln

Zutaten für 4 Portionen:
500 g Kalbsleber, in nicht zu dicke Scheiben geschnitten (beim Metzger vorbestellen)
2 säuerliche Äpfel (z. B. Boskop)
4 Zwiebeln
1 EL Zitronensaft
2 EL Mehl
Salz
schwarzer Pfeffer, frisch gemahlen
4 EL Butter

Zubereitungszeit: 40 Min.

Pro Portion: 1500 kJ/360 kcal

1 Kalbsleber mit Küchenpapier trocknen. Äpfel schälen, Kerngehäuse ausstechen. Zwiebeln schälen, in etwa 4 mm dicke Scheiben, die Äpfel in etwa 8 mm dicke Ringe schneiden und mit Zitronensaft beträufeln. Backofen mit einer hitzefesten Platte auf 75° vorheizen.

2 Mehl mit Salz und Pfeffer vermischen, die ungesalzenen Leberscheiben darin wenden, überschüssiges Mehl abklopfen. 2 EL Butter in einer großen Pfanne erhitzen und die Leberscheiben darin pro Seite etwa 3 Min. bei mittlerer Hitze braten, herausnehmen und im Ofen (Gas niedrigste Stufe, Umluft 50°) warm halten.

3 Die restliche Butter in die Pfanne geben, die Apfelscheiben auf beiden Seiten bei mittlerer Hitze goldbraun braten, auf die Leberscheiben legen. Die Zwiebelscheiben zu Ringen aufblättern, in der verbliebenen Butter bei stärkerer Hitze braun rösten, über die Äpfel verteilen. Mit Stampfkartoffeln servieren.

Beilagen-Tip: Stampfkartoffeln
750 g mehligkochende Kartoffeln waschen, schälen und in Stücke schneiden. In Salzwasser aufkochen und bei schwacher Hitze zugedeckt 15–20 Min. garen, das Wasser abgießen. Die Kartoffeln sofort grob zerstampfen, dabei etwa 1/4 l heiße Fleischbrühe und 1 EL Butter dazugeben. Mit Salz und Muskat abschmecken.

Kaninchenpfeffer

Aus Münster/Westfalen · Würzig

Ragout aus Kaninchenfleisch

Zutaten für 6 Portionen:
1 Kaninchen (etwa 1,5 kg), küchenfertig vorbereitet · 2 Möhren
3 Zwiebeln · 4 Knoblauchzehen
100 g Sellerieknolle · 1/2 Stange Lauch
2 Lorbeerblätter · 1 EL Pfefferkörner
je 2 TL Rosmarin und Thymian
3 Nelken · 3/4 l kräftiger Rotwein
250 g geräucherter Bauchspeck
3 EL Butterschmalz · Salz
schwarzer Pfeffer, frisch gemahlen
2 EL Mehl · 300 g Champignons
1/2 Zitrone · 1 Bund Petersilie

Zubereitungszeit: 1 Std. (+ 48 Std. Marinieren + 2 Std. Schmoren)

Pro Portion: 3400 kJ/800 kcal

1 Das Kaninchen waschen und in etwa 5 cm große Stücke zerteilen. Möhren, Zwiebeln und Knoblauchzehen schälen, Sellerie und Lauch putzen und waschen. Das Gemüse in Stücke schneiden. Fleisch mit Lorbeer, zerdrückten Pfefferkörnern, Kräutern und Nelken in eine Schüssel geben, den Rotwein darüber gießen und 2 Tage zugedeckt im Kühlschrank marinieren.

2 Zum Braten Fleisch und Gemüse aus der Schüssel heben, abtropfen lassen, Marinade aufheben. Speck fein würfeln, in 2 EL Butterschmalz anbraten. Kaninchenstücke gut trocknen, salzen und pfeffern, dazugeben und rundum bei mittlerer Hitze bräunen, dann das Gemüse unterrühren, mit Mehl bestäuben, ebenfalls leicht bräunen. Die Marinade aufgießen, unter Rühren aufkochen, etwa 2 Std. zugedeckt bei schwacher Hitze schmoren lassen.

3 Nach etwa 1 1/2 Std. Champignons putzen, Stiele abschneiden, größere Köpfe vierteln. Zitrone auspressen, Pilze mit dem Saft beträufeln. Restliches Butterschmalz erhitzen, Champignons etwa 10 Min. darin unter Rühren braten. Zum Kaninchen rühren, mit Salz und Pfeffer abschmecken. Petersilie waschen, trockenschütteln, hacken und darüber streuen. Dazu passen Salzkartoffeln (Beilagen-Tip S. 61).

Hirschbraten mit Klößen

Aus dem Odenwald · Festlich

Wildbraten mit Pfifferlingen und Sahnesauce

Zutaten für 4 Portionen:
1 EL Öl
2 Zwiebeln · 2 Möhren
1/4 Sellerieknolle (etwa 250 g)
2 Lorbeerblätter
1,5 kg Hirschkalbsrücken (gehäutet, mit Knochen)
Salz
schwarzer Pfeffer, frisch gemahlen
1 EL Pimentkörner
100 g fetter Speck in dünnen Scheiben
1/4 l kräftiger Rotwein
100 g frische Pfifferlinge
100 g Dörrfleisch (hart geräucherter Bauchspeck) · Öl zum Braten
10 Wacholderbeeren
1 TL getrockneter Majoran, Thymian, Salbei
Pfeffer, frisch gemahlen
100 g Sahne

Für die Klöße:
1 kg gekochte Kartoffeln, mehligkochend
100 g Kartoffelmehl
2 EL Weckmehl (Semmelbrösel)
2 EL frisch gehackte Petersilie
2 Eier · Salz
Muskat
1 Scheibe Weiß- oder Toastbrot
Butter zum Braten

Zubereitungszeit: 1 Std. (+ 1 1/4 Std. Garen)

Pro Portion: 4600 kJ/1100 kcal

1 Den Backofen auf 250° vorheizen. Einen Bräter mit Öl ausstreichen. 1 Zwiebel, Möhren und die Sellerieknolle schälen, würfeln, im Bräter auslegen. Lorbeerblätter zerbröseln und darüber streuen.

2 Beide Fleischstränge des Wildrückens vom Rückgrat lösen, aber auf der Unterseite, also auf den Rippen, am Knochen lassen. Mit Salz, Pfeffer und zerstoßenem Piment würzen, mit fettem Speck umwickeln. Fleisch in den Bräter legen.

3 Den Bräter in den Ofen (Mitte) schieben, die Temperatur sofort auf 220° (Gas Stufe 4, Umluft 200°) zurückschalten, das Fleisch etwa 1 1/4 Std. garen.

4 Etwa 1/2 Std. vor Bratzeitende für die Kartoffelklöße gekochte, kalte Kartoffeln schälen, zerstampfen und mit Kartoffelmehl, Weckmehl, Petersilie, Eiern, Salz und Muskat vermischen. Weißbrot würfeln und in einer Pfanne goldgelb rösten. Dann aus dem Teig 8–10 nicht zu große Klöße formen, dabei die Brotwürfel in die Mitte drücken. Klöße in einem Topf in reichlich siedendem Salzwasser halb zugedeckt 15–20 Min. garen.

5 Inzwischen vom fertigen Braten die Speckscheiben abnehmen, den Braten auf eine feuerfeste Platte legen und im ausgeschalteten Ofen warm halten. Den Bratfond mit Rotwein loskochen.

6 Die zweite Zwiebel schälen und hacken, die Pfifferlinge putzen. Dörrfleisch in schmale Streifen schneiden, in einem Topf bei mittlerer Hitze in wenig Öl auslassen, Zwiebelwürfel darin andünsten, Pfifferlinge dazugeben und etwa 7 Min. braten.

7 Den Bratfond durch ein Sieb hinzufügen, mit zerdrückten Wacholderbeeren, Majoran, Thymian, Salbei, Salz und Pfeffer abschmecken, mit Sahne verfeinern. Den Braten in Scheiben aufschneiden und mit Sauce und den abgetropften Kartoffelklößen servieren.

Beilagen-Tip: Preiselbeersahne
150 g frische Preiselbeeren mit 75 g Zucker etwa 10 Min. bei mittlerer Hitze offen kochen, abkühlen lassen. 125 g steif geschlagene Sahne unterheben.

Info: Die Garzeiten sind so berechnet, daß das Fleisch genau durchgebraten ist, wenn es noch gut 15 Min. im ausgeschalteten Ofen während der Saucenzubereitung warm gehalten wird. Gegen einen rosa Kern bei Wildfleisch sprechen hygienische Gründe, denn Wildbret unterliegt keiner veterinärmedizinischen Untersuchung.

Tip! Statt des edlen Hirschkalbsrückens kann man auch Rehrücken nehmen, der etwa 10 Min. weniger braten muß.

Vierländer Ente

Aus Hamburg · Braucht etwas Zeit

Ente, mit Äpfeln gefüllt

Zutaten für 4 Portionen:
1 Ente (etwa 3 kg), küchenfertig vorbereitet
Salz
schwarzer Pfeffer, frisch gemahlen
150 g roher Schinken
100 g Butter
3 kleine Äpfel (z. B. Boskop)
1 EL Zitronensaft
80 g Paniermehl (Semmelbrösel)
½ l milde Hühnerbrühe (selbstgemacht oder Fertigprodukt)
2 Bund Suppengemüse
Salzwasser (1 EL Salz auf 1 Tasse Wasser)
1 TL Mehl · 100 g saure Sahne
außerdem: Holzspießchen

Zubereitungszeit: 30 Min. (+ 3 Std. Garen)

Pro Portion: 6800 kJ/1600 kcal

1 Die Ente waschen, gut trocknen, innen und außen salzen und pfeffern. Den Backofen auf 250° vorheizen. Schinken würfeln und in 50 g Butter anbraten. Äpfel schälen, vierteln, vom Kerngehäuse befreien und in dünne Scheiben schneiden, mit Zitronensaft beträufeln, dann mit Paniermehl und den Schinkenwürfeln vermischen. Die Ente damit füllen, die Öffnung mit Holzspießchen zustecken. Ente mit der restlichen Butter einstreichen.

2 Die Ente mit der Brust nach oben auf den Bratenrost (Mitte) legen. Die Fettpfanne mit der Brühe darin unter dem Rost einschieben. Ente etwa 45 Min. (Gas Stufe 5, Umluft 220°) braten. Den Ofen auf 180° (Gas Stufe 2, Umluft 160°) schalten, Wasser in die Fettpfanne gießen, Ente weitere 45 Min. garen.

3 Suppengemüse putzen, säubern und grob würfeln. In der Fettpfanne verteilen, Ente wenden und noch 1½ Std. bei gleicher Temperatur braten, dabei Wasser in die Fettpfanne nachgießen. Zum Schluß die Haut mit Salzwasser bestreichen, damit sie schön knusprig wird, eventuell noch den Grill zum Bräunen dazuschalten oder den Ofen für etwa 10 Min. auf 250° (Gas Stufe 5, Umluft 220°) hochschalten.

4 Die Ente im ausgeschalteten Ofen warm halten. Die Fettpfanne herausnehmen, den Bratensatz mit kochendem Wasser lösen und durch ein Sieb in eine Kasserolle gießen, das Fett an der Oberfläche abschöpfen. Mehl mit saurer Sahne verrühren, unter Rühren in die Sauce geben und sie damit binden. Salzen, pfeffern und extra zur Ente reichen. Dazu Salzkartoffeln, Apfelmus (Beilagen-Tips S. 61) und Rotkohl (Blaukraut S. 73) servieren.

Gefüllte Gans mit Blaukraut

Aus Bayern · Braucht etwas Zeit

Gans, mit Apfel und Zwiebel gefüllt

Zutaten für 4–6 Portionen:
1 Gans (etwa 4 kg), küchenfertig vorbereitet · Salz
schwarzer Pfeffer, frisch gemahlen
1 Apfel · 1 Zwiebel
1 EL getrockneter Beifuß
1/4 l helles Bier
4 EL Madeira · 1 TL Speisestärke
Für das Blaukraut:
1 Rotkohl (etwa 1 kg)
1 EL Zucker · 1 Zwiebel, gehackt
1 Apfel, geschält und klein gewürfelt
1/4 l Fleischbrühe (selbstgemacht oder Fertigprodukt)
3 EL heller Essig · 1 TL Pimentkörner
Salzwasser (1 EL Salz auf 1 Tasse Wasser)
außerdem: Küchengarn

Zubereitungszeit: 1 Std. (+ 4 Std. Garen)

Bei 6 Portionen pro Portion: 7500 kJ/1800 kcal

1 Die Bauchhöhle der Gans kräftig salzen und pfeffern. Mit der Brust nach unten in einen Bräter legen. Mit 1/4 l kochendem Wasser übergießen. Zugedeckt bei schwacher Hitze etwa 1 Std. sieden lassen. Die Gans aus dem Bräter nehmen, den Kochsud abgießen und beiseite stellen.

2 Backofen auf 220° vorheizen. Apfel schälen, achteln, Kerngehäuse entfernen. Zwiebel schälen und grob hacken, mit Beifuß und Apfelstücken mischen. In die Bauchhöhle der Gans füllen, mit Garn zunähen. Die Gans außen salzen und pfeffern, wieder mit der Brust nach unten in den Bräter legen und offen (unten, Gas Stufe 4, Umluft 200°) etwa 1 1/2 Std. im Ofen braten.

3 Das Fett vom Kochsud abschöpfen und für das Blaukraut aufheben. Mit der entfetteten Brühe die Gans gelegentlich übergießen. Wenn der Rücken gut gebräunt ist, die Gans wenden und noch 1–1 1/2 Std. braten. Ist die Brühe verbraucht, Gans nach und nach mit dem Bier übergießen.

4 Eine Stunde vor Garzeitende Rotkohl waschen und vierteln, in schmale Streifen schneiden. In einem Topf 2 EL Gänsefett erhitzen, Zucker darüber streuen und bräunen. Gehackte Zwiebel, Apfelwürfel sowie die Rotkohlstreifen dazugeben. Etwas anbraten, mit Brühe und Essig aufgießen, Pimentkörner dazugeben und knapp 1 Std. bei schwacher Hitze zugedeckt schmoren lassen.

5 Die Haut der Gans zum Schluß mit Salzwasser bestreichen, damit sie knusprig wird. Den Braten im ausgeschalteten Ofen warm stellen. Bratfond entfetten, mit Salz, Pfeffer und Madeira abschmecken. Speisestärke mit Wasser anrühren, zum Bratenfond geben, noch einmal aufkochen. Gans mit Blaukraut, Sauce und nach Belieben mit Kartoffelknödeln (S. 62) servieren.

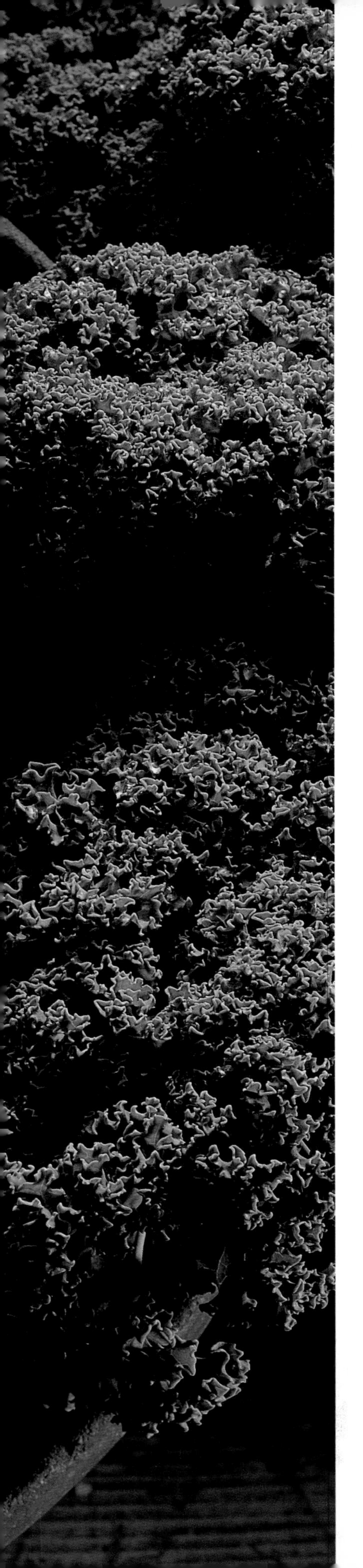

EINTÖPFE & GEMÜSE

Wenn es etwas gibt, was alle deutschen Regionalküchen gemein haben, so ist an erster Stelle der Eintopf zu nennen. Seinen Ursprung hat er in den alten bäuerlichen Küchen, wo ein großer Topf am Haken der Kesselkette über offener Feuerstelle brodelte, darin schwammen Gemüse, Getreide, später Kartoffeln und, wenn es nicht gerade ein armer Haushalt war, auch ein Stück gepökeltes oder geräuchertes Fleisch. Dieses »durcheinander Gekochte« sparte Heizmaterial, Geschirr und Zeit.

Bis in unser Jahrhundert war man bei der Auswahl der Zutaten darauf angewiesen, welche Feld- und Gartengemüse gerade reif waren. Nur Kartoffeln gab es das ganze Jahr über, deshalb bilden sie eine wichtige Grundlage der Eintöpfe aller Regionen. Daß man aus zartem Frühjahrsgemüse sogar ein edles Sonntagsgericht zubereiten kann, zeigt das traditionsreiche »Leipziger Allerlei«, das mit Krebsschwänzen und Morcheln angereichert ist. Im Sommer kommen Möhren und grüne Bohnen in den Topf, besonders in Nordrhein-Westfalen schätzt man die frischen Dicken Bohnen, auch Graute Bohnen oder Saubohnen genannt. Beliebt ist auch die große Familie der Rüben wie Steckrüben, Teltower Rübchen, Wruken und Dotschen, und wie sie auch sonst im ganzen Land genannt werden. Sie erfahren gerade eine Renaissance in der deutschen Küche, seit die traditionellen Rezepte wieder in den Vordergrund treten.

Gemüse als Beilage hat in der deutschen Küche zwar eine lange, aber nicht sehr ruhmreiche Tradition. Früher wurde es fast zu Mus gegart und noch mit einer dicken Mehlsauce gebunden. Diese Zubereitung, »stowen« oder »stoven« genannt, ist besonders im Norden sehr beliebt, allerdings sind die Gerichte heute leichter und schlanker gehalten, das Gemüse behält sein Aroma und wird nicht mehr zerkocht.

Leipziger Allerlei

Aus Sachsen

Frühjahrsgemüse mit Krebsen und Morcheln

Zutaten für 4 Portionen:
Salz
12 Krebse (etwa 700 g, vom Händler überbrühen und etwa 5 Min. kochen lassen, ersatzweise lebende Krebse)
15 g getrocknete Spitzmorcheln
350 g Spargel
350 g Blumenkohl
1 Kohlrabi (etwa 250 g)
60 g Butter
100 ml Weißwein
Zucker
weißer Pfeffer, frisch gemahlen
250 g Möhren
100 g Erbsenschoten (Kaiserschoten)
20 g Mehl
100 g Schmant (dicke süße Sahne)
Muskatnuß, frisch gerieben

Zubereitungszeit: 1 ½ Std.

Pro Portion: 1600 kJ/380 kcal

1 In einem sehr großen Topf 2 l Wasser mit 2 EL Salz aufkochen. Falls Ihr Händler die Krebse nicht kocht, müssen Sie jetzt die Hälfte der Krebse ins sprudelnde Wasser werfen und etwa 5 Min. bei starker Hitze zugedeckt kochen. Herausnehmen und die zweite Portion genauso kochen. Temperatur zurückschalten, dann die frisch gekochten oder die vom Händler gekochten Krebse in das Wasser geben und etwa 7 Min. leise sieden lassen, herausheben und abtropfen lassen.

2 Morcheln gründlich waschen und bürsten, in 1 Tasse Wasser einweichen. Den Spargel schälen und in 5 cm lange Stücke schneiden. Blumenkohl waschen und zerteilen. Kohlrabi schälen, waschen. Den Kohlrabi halbieren, in bleistiftdicke Streifen schneiden.

3 In einem flachen Topf 50 g Butter mit dem Weißwein und einer Prise Zucker aufkochen, Spargel, Blumenkohlröschen und Kohlrabistreifen zusammen darin etwa 15 Min. bei mittlerer Hitze zugedeckt garen, salzen und pfeffern.

4 Inzwischen von den abgekühlten Krebsen den Hinterleib vom Kopf abdrehen, Panzer von der Bauchseite her aufbiegen und das Schwanzfleisch auslösen.

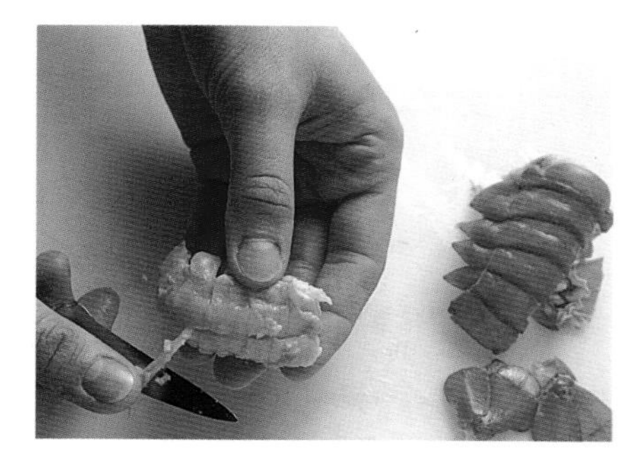

5 Das Fleisch am Rücken einschneiden und dann den Darm mit einer Messerspitze entfernen.

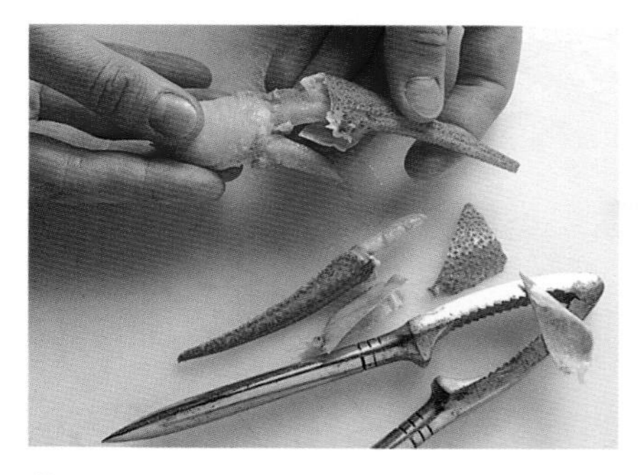

6 Die Scheren mit einer Zange oder Nußknacker aufbrechen und das Fleisch herausziehen, dann zur Seite legen.

7 Die Möhren schälen, längs vierteln. In etwa 3 cm lange Stücke schneiden. Erbsenschoten waschen, Stielansätze und Spitzen abschneiden. Das gare Gemüse in eine Schüssel heben. Die Möhren im Kochsud etwa 5 Min. garen. Dann die Erbsenschoten und Morcheln samt Einweichflüssigkeit hinzugeben, weitere 10 Min. garen. Zu dem anderen Gemüse heben.

8 Das Mehl mit der restlichen Butter verkneten und die köchelnde Brühe mit dieser Mehlbutter binden. Den Schmant einrühren, abschmecken. Das Gemüse darin erhitzen, mit den Krebsen garnieren.

Schwammerl mit Knödeln

Aus Bayern · Herzhaft

Pilzragout mit Sahne zu Knödeln

Zutaten für 4 Portionen:
6 altbackene Semmeln (Brötchen, etwa 240 g)
200 ml Milch · 1½ Zwiebeln
1 Bund Petersilie · 5 EL Butter
2 Eier · Salz
schwarzer Pfeffer, frisch gemahlen
600 g Steinpilze oder Reherl (Pfifferlinge), Rotkappen, Birkenpilze, Egerlinge (braune Champignons)
50 g Wammerl (geräucherter Bauchspeck), ohne Schwarte
300 ml Kalbsfond (selbstgemacht oder Fertigprodukt)
300 g Rahm (süße Sahne)
1 EL Zitronensaft

Zubereitungszeit: 45 Min. (+ 30 Min. Ruhen)
Pro Portion: 3200 kJ/760 kcal

1 Die Semmeln in sehr dünne Scheiben schneiden. Milch etwas erhitzen und darüber träufeln. Die halbe Zwiebel schälen, fein würfeln. Petersilie waschen, fein hacken, die Hälfte davon mit den Zwiebeln in 1 EL Butter andünsten, zu den Semmeln geben, Eier untermischen, salzen und pfeffern und zu einem nicht zu glatten Teig verkneten. Offen etwa 30 Min. ruhen lassen.

2 Inzwischen für das Ragout die Pilze putzen, dann in Scheiben schneiden. Die Zwiebel schälen und fein würfeln, den Speck ebenfalls fein würfeln. Beides in der restlichen Butter andünsten, die Pilze dazugeben und bei starker Hitze offen braten, bis die ausgetretene Flüssigkeit verdampft ist.

3 Inzwischen aus dem Semmelteig mit nassen Händen tennisballgroße Knödel formen und in reichlich siedendem Salzwasser bei schwacher Hitze offen etwa 20 Min. garen.

4 Die Pilze mit Fond und Rahm aufgießen, mit Salz, Pfeffer und Zitronensaft abschmecken. Die fertigen Knödel abtropfen lassen, auf den mit der restlichen Petersilie bestreuten Schwammerln anrichten.

Info: »Schwammerl« werden in Bayern alle Pilze genannt, das Gericht heißt dort »Schwammerlsuppe«, was Fremde irritiert, denn in Wirklichkeit ist es ein herzhaftes Hauptgericht.

Saure Linsen mit Spätzle

Aus Schwaben · Deftig

Linsengemüse, sauer abgeschmeckt

Zutaten für 4 Portionen:
300 g getrocknete Linsen
75 g Räucherspeck, durchwachsen, ohne Schwarte
1 Zwiebel
1 Bund Suppengemüse
1 EL Butterschmalz
1 Lorbeerblatt
3 Nelken · 1 Zweig Liebstöckel
3/4 l Fleischbrühe (selbstgemacht oder Fertigprodukt)
300 g Mehl
3 Eier
Salz · Muskat
schwarzer Pfeffer, frisch gemahlen
2–3 EL Weißweinessig
4 Paar Saitenwürstle (Wiener Würstchen)
3 EL Butter · 3 EL Semmelbrösel

Zubereitungszeit: 45 Min. (+ 12 Std. Einweichen + 45 Min. Garen)

Pro Portion: 4600 kJ/1100 kcal

1 Die Linsen abspülen und in kaltem Wasser über Nacht einweichen. Am nächsten Tag Speck würfeln. Zwiebel schälen und hacken. Suppengemüse putzen und fein würfeln. Speckwürfel in Butterschmalz auslassen, Zwiebelwürfel darin anrösten, das Suppengemüse dazugeben, kurz dünsten. Die Linsen abgießen, abtropfen lassen, dann Lorbeerblatt, Nelken, Liebstöckel und Fleischbrühe hinzufügen und etwa 45 Min. zugedeckt bei schwacher Hitze köcheln lassen.

2 Backofen auf 75° vorheizen. Für die Spätzle Mehl mit 8–10 EL kaltem Wasser, Eiern, Salz und Muskat zu einem glatten, zähflüssigen Teig verrühren, etwas quellen lassen. In einem Topf reichlich Salzwasser aufkochen.

3 Den Teig portionsweise durch den Spätzlehobler drücken. Oder den Teig portionsweise etwa messerrückendick auf die vordere Hälfte eines nassen Holzbretts streichen und mit einem langen, immer wieder angefeuchteten Messer schmale Streifen ins kochende Wasser schieben. Sobald die Spätzle oben schwimmen, mit einem Schaumlöffel herausheben und in einer feuerfesten Schüssel im Backofen (Gas niedrigste Stufe, Umluft 50°) warm stellen.

4 Die Linsen mit Salz, Pfeffer und Essig abschmecken. Die Würstchen dazugeben und etwa 10 Min. erhitzen, aber nicht kochen lassen. In einem Töpfchen Butter zerlassen, die Semmelbrösel darin bräunen, über die Spätzle gießen und diese zu den Linsen mit Würstchen servieren.

Bichelsteiner

Aus dem Bayerischen Wald · Herzhaft

Eintopf aus Fleisch und Gemüse

Zutaten für 8 Personen:
je 300 g Schweinenacken, Lammschulter, Kalbfleisch und Rindfleisch
Salz
schwarzer Pfeffer, frisch gemahlen
je 500 g Weißkraut (Weißkohl) und Möhren
400 g Sellerieknolle · 500 g Zwiebeln
200 g Wammerl (geräucherter Bauchspeck) in dünnen Scheiben
1½ l Fleischbrühe (Fertigprodukt)
1 Lorbeerblatt · 1 Bund Petersilie
Muskatnuß, frisch gerieben
1 kg Kartoffeln, festkochend

Zubereitungszeit: 20 Min.
(+ 2 ¼ Std. Garen)
Pro Portion: 2000 kJ/480 kcal

1 Das Fleisch mit Küchenpapier abreiben, in 3–4 cm große Würfel schneiden, salzen und pfeffern. Weißkraut vierteln, den harten Strunk ausschneiden, die Weißkrautviertel nochmals längs halbieren und in etwa 3 cm große Stücke schneiden. Das übrige Gemüse schälen, putzen und in nicht zu kleine Stücke zerteilen. Alle Zutaten mit dem Speck mischen und in einen gut schließenden Bräter schichten, jede Lage salzen und pfeffern.

2 Die Brühe mit Lorbeerblatt aufkochen. Petersilie waschen, hacken und einstreuen, Brühe mit Muskat würzen. Über Fleisch und Gemüse gießen und den Bräter schließen.

3 Den Eintopf im Backofen bei 175° (Mitte, Gas Stufe 2, Umluft 160°) etwa 1½ Std. garen. Inzwischen die Kartoffeln schälen und in Scheiben schneiden. Auf den Eintopf legen, etwas salzen, Eintopf wieder fest zudecken und noch weitere 30–45 Min. garen.

Getränke: Dazu paßt ein frisches Bier oder ein trockener Weißwein aus Franken.

Info: Das Gericht wird auch Pichelsteiner, Pickelsteiner und Büchelsteiner genannt. Der Büchelberg liegt im Bayerischen Wald, und die Stadt Regen feiert seit über hundert Jahren das »Bichelsteiner Fest« Ende Juli zur Kirchweihzeit.

Löffelerbsen mit Speck

Aus Berlin · Deftig

Eintopf aus gelben Erbsen, Speck und Gemüse

Zutaten für 4 Portionen:
250 g getrocknete geschälte gelbe Erbsen
500 g Räucherspeck, durchwachsen, ohne Schwarte
2 Lorbeerblätter · 1 EL Pimentkörner
Salz · schwarzer Pfeffer, frisch gemahlen
250 g Möhren · 200 g Lauch
500 g Kartoffeln, vorwiegend festkochend
2 EL Butter · 2 Zweige Majoran
½ Bund Petersilie

Zubereitungszeit: 30 Min.
(+ 2 Std. Einweichen + 1½ Std. Garen)

Pro Portion: 4200 kJ/1000 kcal

1 Gelbe Erbsen in einem Sieb überbrausen, in einer Schüssel in gut 2 l kaltem Wasser etwa 2 Std. einweichen. Den Speck in 1½ l Wasser aufsetzen, Lorbeerblätter und Piment, Salz und Pfeffer dazugeben, zugedeckt bei schwacher Hitze etwa 45 Min. garen.

2 Inzwischen die Möhren schälen und in nicht zu dünne Scheiben schneiden. Lauch putzen, längs halbieren und gründlich waschen, in zentimeterbreite Streifen schneiden. Kartoffeln schälen und in etwa 1 cm große Würfel schneiden. In einer Pfanne die Butter erhitzen, Gemüsewürfel darin anschmoren, damit sie Aroma entwickeln.

3 Den Speck aus der Brühe nehmen, die Erbsen mitsamt dem Einweichwasser und das Gemüse in den Topf geben, zugedeckt bei schwacher Hitze etwa 45 Min. siedend garen, eventuell noch Wasser nachgießen. Den Speck würfeln (dabei die Knorpel entfernen) und wieder in den Eintopf geben. Mit Salz und Pfeffer abschmecken, Majoran und Petersilie waschen, fein hacken und unterrühren.

Info: Offenbar hat das Gericht seinen Namen erhalten, weil es nicht – wie früher bei Eintöpfen üblich – mit Brot aufgetunkt, sondern mit dem Löffel gegessen wurde.

Rumfordsuppe

Aus Bayern · Gelingt leicht

Suppe aus Erbsen, Graupen und Gemüse

Zutaten für 4 Portionen:
250 g getrocknete geschälte gelbe Erbsen
1 Lorbeerblatt · 5 Pimentkörner
100 g Wammerl (geräucherter Bauchspeck), ohne Schwarte
2 Zwiebeln · 2 Möhren
100 g Sellerieknolle · 1 Stange Lauch
500 g Kartoffeln, vorwiegend festkochend
1 EL Öl zum Braten · Salz
1 TL Majoran, gerebelt
weißer Pfeffer, frisch gemahlen
100 g Gersten-Graupen

Zubereitungszeit: 45 Min.
(+ 3 Std. Einweichen + 1 3/4 Std. Garen)
Pro Portion: 1800 kJ/430 kcal

1 Die Erbsen etwa 3 Std. in 1 1/2 l Wasser einweichen. Dann im Einweichwasser mit Lorbeerblatt und Piment aufsetzen und etwa 1 1/4 Std. bei schwacher Hitze zugedeckt kochen.

2 Den Speck sehr klein würfeln. Das Gemüse schälen, putzen und waschen. Zwiebeln würfeln, Möhren in Scheiben, Sellerie in Stücke schneiden. Lauch in schmale Scheiben, die Kartoffeln in kleine Würfel schneiden.

3 Die Speckwürfel in Öl glasig braten und herausheben. Im Speckfett das Gemüse andünsten, 1 l Wasser aufgießen, mit Salz, Majoran und Pfeffer würzen, die Graupen dazugeben und alles zugedeckt etwa 30 Min. bei schwacher Hitze köcheln lassen.

4 Die gegarten Erbsen mit einem Pürierstab im Topf glattmixen (vorher Lorbeerblatt und Piment entfernen) und unter die Suppe rühren. Mit den Speckwürfelchen bestreut auftragen.

Info: Graf Rumford (1753–1814) hieß eigentlich Benjamin Thompson, war amerikanischer Physiker und widmete sich der Politik. Der Spionage verdächtigt, ging er nach Bayern, wo er u. a. wichtige Erfindungen für die Küche machte: energiesparende Kochtöpfe und den ersten Backofen. Nebenbei entwickelte er auch diese Suppe.

Gestowte Wruken

Aus Rostock · Deftig

Kohlrüben mit Speck, in gebundener Sauce gegart

Zutaten für 4 Portionen:
350 g Rauchfleisch (geräucherter Bauchspeck ohne Knochen) · Salz
5 Zwiebeln · 2 Lorbeerblätter
1 EL Pimentkörner
1 kg Wruken (Kohlrüben, Dotschen, ersatzweise Kohlrabi)
750 g Kartoffeln, vorwiegend festkochend
50 g Butterschmalz · 1 EL Zucker
schwarzer Pfeffer, frisch gemahlen
1–2 TL Majoran, gerebelt
1 EL Weißweinessig · 2 EL Mehl
1 Bund Petersilie

Zubereitungszeit: 50 Min.
(+ 1 1/2 Std. Garen)
Pro Portion: 4000 kJ/950 kcal

1 Rauchfleisch in einem Topf in 1 l Salzwasser aufsetzen. 1 Zwiebel schälen und halbieren, mit Lorbeerblättern und Pimentkörnern zum Fleisch geben, bei schwacher Hitze zugedeckt etwa 45 Min. garen. Wruken, Kartoffeln und restliche Zwiebeln schälen, Wruken und Kartoffeln in 2–3 cm große Würfel schneiden, Zwiebeln fein würfeln.

2 In einem Topf die Hälfte vom Butterschmalz erhitzen, Zwiebeln und Wruken andünsten, mit Zucker bestreuen und leicht bräunen. Rauchfleisch aus der Brühe nehmen. So viel Rauchfleischbrühe angießen, daß das Gemüse gerade bedeckt ist, mit Salz und Pfeffer würzen und bei schwacher Hitze zugedeckt etwa 30 Min. garen.

3 Kartoffeln dazugeben, mit Majoran und Essig würzen und alles noch etwa 20 Min. leise köcheln lassen. Rauchfleisch von der Schwarte befreien, in 1 1/2 cm breite Streifen schneiden und hinzufügen, noch etwas Brühe angießen.

4 Das Mehl in einem trockenen Pfännchen nußbraun rösten, abgekühlt mit dem restlichen Butterschmalz verkneten und unter den Eintopf rühren. Unter Rühren nochmals aufkochen, bis der Sud gebunden ist. Petersilie waschen, hacken und unterrühren. Mit Salz und Pfeffer abschmecken.

Grünkohl mit Kasseler

Aus Westfalen · Würzig

Grünkohl mit Schweinefleisch

Zutaten für 4 Portionen:
1½ kg Grünkohl
4 Zwiebeln
2 EL Schweineschmalz · Salz
schwarzer Pfeffer, frisch gemahlen
1 EL Zucker
½ l Fleischbrühe (selbstgemacht oder Fertigprodukt)
500 g Kasseler Rippenspeer
6 Nelken
1 EL scharfer Senf

Zubereitungszeit: 45 Min. (+ 1 Std. Garen)
Pro Portion: 2000 kJ/480 kcal

1 Die Grünkohlblätter von den harten Rippen streifen, Kohl mehrmals gründlich waschen und in einem Topf mit ½ Tasse Wasser etwa 5 Min. zugedeckt kochen. Den Kochsud abgießen, den Kohl grob hacken.

2 Zwiebeln schälen und in Würfel schneiden. Im heißen Schmalz hellgelb schmoren, dann den Grünkohl dazugeben und mit Salz und Pfeffer würzen. Zucker darüber streuen und die Brühe angießen. Das Kasseler mit den Nelken spicken und darauf legen. Zugedeckt bei schwacher Hitze etwa 1 Std. garen.

3 Nach der Garzeit das Fleisch herausnehmen und in etwa 1½ cm dicke Scheiben schneiden. Den Kohl mit Senf pikant abschmecken. Zum Fleisch servieren. Dazu passen Salz- oder Bratkartoffeln (Beilagen-Tip S. 61 oder 65).

Info: Vor allem um Bremen und im Oldenburgischen Land wird Grünkohl, auch »Ostfriesische Palme« genannt, meist mit »Pinkel« serviert, einer Wurst aus Grütze, Speck und Gewürzen, in dicken Darm gefüllt, gegart und geräuchert. Dazu gesellen sich noch Bauchspeck, Kasseler oder Kochwurst, und als Beilage gibt es »lüttje Tüffels«, kleine Kartoffeln, die in Fett und Zucker glasiert werden.

Römischkohl mit Frikadellen

Aus Hessen · Gelingt leicht

Mangold in heller säuerlicher Sauce mit Fleischklopsen

Zutaten für 4 Portionen:
1 kg Römischkohl (Mangold) mit möglichst langen, hellen Stielen
Salz · 50 g Butter · 1 Lorbeerblatt
1 EL Weißweinessig · 1/8 l Milch
1 EL Mehl · 125 g Sahne
schwarzer Pfeffer, frisch gemahlen
Für die Frikadellen:
30 g weiche Butter
1 Zwiebel · 1 Weck (Brötchen)
250 g Schweinehackfleisch
1 Ei · Salz
schwarzer Pfeffer, frisch gemahlen
3 EL Butterschmalz

Zubereitungszeit: 45 Min.

Pro Portion: 2800 kJ/670 kcal

1 Römischkohl putzen, die grünen Blätter abtrennen und anderweitig verwenden. Die dicken Stiele längs halbieren und in etwa 5 cm lange Stücke schneiden.

2 In einem Topf reichlich Salzwasser aufkochen, die Mangoldstiele darin etwa 3 Min. sprudelnd kochen, in ein Sieb abgießen, kalt abschrecken und abtropfen lassen.

3 Für die Frikadellen 30 g Butter schaumig rühren, Zwiebel schälen, reiben oder sehr fein hacken. Vom Weck so viel Rinde abreiben, daß man 4 EL Brösel erhält. Den Weck kurz in kaltem Wasser einweichen, abgießen und fest ausdrücken.

4 In einer Schüssel alles mit Hackfleisch und Ei mischen, kräftig salzen und pfeffern und gut durchkneten. Aus der Masse Fleischbällchen formen, flachdrücken und in einer Pfanne in heißem Butterschmalz auf beiden Seiten je etwa 4 Min. bei mittlerer Hitze braten, dabei öfter mit Bratfett übergießen, damit sie saftig bleiben.

5 Inzwischen in einem Topf die 50 g Butter erhitzen, darin die Mangoldstiele mit Lorbeerblatt und Essig etwa 5 Min. dünsten. Milch mit Mehl verquirlen, Sahne untermischen und über die Mangoldstiele gießen, einmal aufkochen, die Stiele sollten in etwa 3 Min. gar sein. Mit Salz und Pfeffer abschmecken.

Tip! Die grünen Blätter können am nächsten Tag wie Spinat zubereitet werden. Oder Sie garen sie, in Streifen geschnitten, einfach mit.

Hannoversches Blindhuhn

Süß-sauer

Bohneneintopf mit Schinkenspeck und Äpfeln

Zutaten für 4 Portionen:
300 g geräucherter Schinkenspeck, ohne Schwarte
1 Zwiebel · 1 EL Öl
500 g Kartoffeln, festkochend
350 g Möhren
1 l Fleischbrühe (selbstgemacht oder Fertigprodukt)
1 Bund Bohnenkraut
1 kg Dicke Bohnen (Saubohnen)
250 g grüne Brechbohnen
3 säuerliche Äpfel (z. B. Boskop)
1 EL Mehl · Salz
schwarzer Pfeffer, frisch gemahlen
1 Bund Petersilie

Zubereitungszeit: 40 Min. (+ 45 Min. Garen)

Pro Portion: 5900 kJ/1400 kcal

1 Den Speck in nicht zu kleine Würfel schneiden, Zwiebel schälen, hacken, beides zusammen in Öl bei schwacher Hitze anbraten. Kartoffeln und Möhren schälen, grob würfeln und dazugeben. Fleischbrühe aufgießen, Bohnenkraut waschen, einlegen und alles zugedeckt etwa 15 Min. garen.

2 Frische Dicke Bohnen aus den Hülsen pulen, kurz in kaltem Wasser waschen, abgießen und in einem Sieb abtropfen lassen.

3 Die grünen Bohnen von den Enden befreien, wenn nötig die Fäden abziehen. Die Bohnen quer halbieren. Die Äpfel schälen, vierteln, das Kerngehäuse ausschneiden, die Apfelspalten quer in etwa zentimeterdicke Scheiben schneiden, mit beiden Bohnensorten zum Eintopf geben und zugedeckt noch etwa 30 Min. bei schwacher Hitze sieden lassen.

4 Mehl mit etwas kaltem Wasser anrühren und in die siedende Brühe rühren, aufkochen und etwa 5 Min. kochen lassen, mit Salz und Pfeffer abschmecken. Petersilie waschen, trockenschütteln und hacken, zum Anrichten über den Eintopf streuen.

Getränk: Ein frisches Weizenbier paßt gut dazu, aber auch ein trockener, spritziger Mosel-Riesling.

Variante: Birnen, Bohnen und Speck
350 g luftgetrockneten, durchwachsenen Speck, ohne Schwarte, am Stück mit 1/2 l Wasser aufsetzen und zugedeckt etwa 30 Min. bei schwacher Hitze garen. 750 g grüne Brechbohnen putzen, waschen, Fäden abziehen, Bohnen in Stücke brechen. Mit 1 Bund Bohnenkraut zum Speck geben und weitere 15 Min. mitgaren. 8 kleine harte Kochbirnen waschen, nur den Blütenansatz ausschneiden, ungeschält mit Stiel auf die Bohnen legen und nochmals etwa 20 Min. bei schwacher Hitze köcheln lassen. Den Speck herausnehmen und in Scheiben schneiden. Bohnenkraut entfernen. 1 EL Mehl mit etwas kaltem Wasser glattrühren und in den Kochsud rühren, aufkochen lassen, salzen und pfeffern. Petersilie, Birnen, Bohnen und Speck zusammen in einer vorgewärmten Schüssel anrichten, mit 1 Bund gehackter Petersilie bestreut servieren. Oft werden dazu noch Salzkartoffeln gereicht.

Info: In anderen Regionen heißt dieser Eintopf auch »Gänsefutter« und »Buntes Huhn«. Der Name »Blindhuhn« soll wohl bedeuten, daß er auch von einem blinden Huhn gefunden wird (so gut duftet er). Auch in Westfalen kennt man Rezepte für Blindhuhn und »Blindhühnchen«, das dort meist mit getrockneten weißen Bohnen zubereitet wird. Die Bremer Plockfinken und Birnen, Bohnen und Speck (»Grön Hein«) aus Schleswig-Holstein sind ähnlich.

Weißkohl mit Hammelfleisch

Aus Mecklenburg · Deftig

Schmortopf mit Lamm und Weißkraut

Zutaten für 4 Personen:
750 g Lammkeule · Salz
1 kg Weißkraut (Weißkohl)
3 Zwiebeln
20 g frischer Kerbel
3 Nelken
75 g fetter Speck, in dünnen Scheiben
schwarzer Pfeffer, frisch gemahlen
1 Bund Petersilie

Zubereitungszeit: 20 Min. (+ 1 ¾ Std. Garen)

Pro Portion: 2300 kJ/550 kcal

1 Die Lammkeule in 3–4 cm große Stücke schneiden und mit dem Knochen in ¾ l Salzwasser aufsetzen. Nach dem Aufkochen den Schaum abschöpfen, dann zugedeckt etwa 45 Min. bei schwacher Hitze sieden lassen.

2 Inzwischen in einem Topf reichlich Salzwasser aufsetzen. Den Weißkrautkopf vierteln, den Strunk ausschneiden, die Viertel nochmals quer halbieren. Im kochenden Salzwasser etwa 5 Min. überbrühen, auf ein Sieb gießen und abtropfen lassen. Die Zwiebeln schälen und würfeln. Kerbel waschen, trockenschütteln und hacken. Die Nelken zerdrücken.

3 Einen festschließenden Bräter mit den Speckscheiben auslegen. Darauf eine Lage Weißkrautblätter legen. Die Fleischstücke mit einem Schaumlöffel aus der Brühe heben, einige Fleischstücke auf das Kraut geben, mit einigen Zwiebelwürfeln, etwas Kerbel, Salz, Pfeffer und Nelken bestreuen, wieder Weißkrautblätter und Fleisch darauf schichten, würzen und so fortfahren, bis alles aufgebraucht ist. Die letzte Lage soll aus Weißkraut bestehen.

4 Den Knochen aus der Lammfleischbrühe entfernen. Die Brühe vorsichtig ohne den Bodensatz über den Eintopf gießen. Den Eintopf etwa 1 Std. zugedeckt bei schwacher Hitze schmoren lassen.

5 Petersilie waschen, hacken. Zum Anrichten den Eintopf vorsichtig in eine Servierschüssel schütten und die Speckscheiben entfernen. Mit Petersilie bestreut auftragen.

Getränke: Am besten werden dazu Bier und klarer Kornschnaps getrunken. Es paßt aber auch ein trockener bis halbtrockener Weißwein, zum Beispiel ein Ruländer oder Weißburgunder.

Variante: Lumpe un Flech
(Weißkraut mit Lamm und Kümmel)
Für das Gericht aus Nordhessen 1 kg Weißkraut waschen, vierteln, den Strunk ausschneiden. Die Viertel quer nochmals vierteln, so daß nicht zu kleine Stücke entstehen. 1/2 l Fleischbrühe aufkochen. 500 g gewürfeltes Lammfleisch mit dem Weißkraut zur Brühe geben. 1 EL zerdrückte Pfefferkörner und 2 EL Kümmel einrühren, den Topf fest schließen und etwa 2 Std. zugedeckt bei schwacher Hitze garen. Zum Schluß nochmals mit Salz und Pfeffer abschmecken.
Seinen merkwürdigen Namen hat dieses Gericht bekommen, weil die gegarten Weißkrautstücke wie Lappen (Stoffetzen) und die Kümmelkörner wie Flöhe aussehen. Eine weniger appetitanregende Bezeichnung dafür ist »Fußlappe-Gemies'«.
Kümmel ist verdauungsfördernd durch seinen Gehalt an ätherischen Ölen und beugt Blähungen vor, deshalb wird er viel in Krautgerichten verwendet.

Info: Das Gericht heißt noch immer Weißkohl mit Hammelfleisch, obwohl heute nur noch Lamm verwendet wird. In Mecklenburg wurde gern gegessen, was man selbst großzog oder anbaute. Daher die Vorliebe für deftige Fleischgerichte und für Kohl. Es gibt eine erstaunliche Anzahl von nahezu identischen Gerichten: Möglicherweise stammen sie alle von den Kelten, deren Siedlungsgebiet im 5. Jahrhundert v. Chr. von den Britischen Inseln (hier kennt man das Rezept als »Irish Stew«) über Gallien und die Iberische Halbinsel bis in den Donauraum südostwärts reichte. Ein ähnliches Gericht kennt man in Schlesien, wo Lammfleisch mit Kohlrüben (Wruken) oder Kohlrabi gekocht, die Brühe aber mit einer Mehlschwitze angedickt wird.

Teltower Rübchentopf

Aus Brandenburg · Für Gäste

Eintopf mit Rübchen, Rinderfilet und Steinpilzen

Zutaten für 4 Portionen:
750 g Teltower Rübchen (ersatzweise Navets oder Kohlrabi)
25 g getrocknete Steinpilze
3 EL Butter · 1 EL Zucker
1/4 l Rinderbrühe (selbstgemacht oder Fertigprodukt)
Salz
weißer Pfeffer, frisch gemahlen
400 g Rinderfilet
3 Schalotten · 1 EL Öl
125 g saure Sahne
1 EL Mehl
Salz

Zubereitungszeit: 1 Std.

Pro Portion: 1400 kJ/330 kcal

1 Rübchen putzen, waschen, schälen und halbieren. Die Steinpilze waschen und in 1 Tasse heißem Wasser einweichen. In einem Topf die Hälfte der Butter erhitzen, die Rübchen darin schwenken, mit Zucker bestreuen und leicht karamelisieren lassen. Die Hälfte der Brühe angießen, salzen und pfeffern, etwa 45 Min. zugedeckt bei schwacher Hitze schmoren lassen.

2 Backofen auf 75° vorheizen. Das Rinderfilet in fingerdicke Streifen schneiden. Schalotten schälen und sehr fein würfeln. Die Steinpilze aus dem Wasser heben und gut trocknen, die Einweichflüssigkeit aufheben. Restliche Butter mit dem Öl erhitzen und die Filetstreifen darin rundum bei starker Hitze scharf anbraten. Herausheben und im Ofen (Gas niedrigste Stufe, Umluft 50°) warm stellen.

3 Im verbliebenen Fett die Pilze mit den Schalotten anbraten. Die Pilzeinweichflüssigkeit (ohne den sandigen Bodensatz) und die restliche Brühe aufgießen, offen bei starker Hitze etwas einkochen. Die Sahne mit dem Mehl glatt verrühren und dazurühren, aufkochen lassen. Mit Salz und Pfeffer abschmecken, die Fleischstreifen und die gegarten Rübchen untermischen, noch etwa 5 Min. erhitzen. Dazu passen Salzkartoffeln (Beilagen-Tip S. 61), mit Petersilie bestreut, und grüner Salat.

Getränk: Ein trockener Weißwein, wie ein Grauburgunder, paßt gut.

Teltower Rübchen

Dies sind kleine würzige Rübchen, die aus der weißen Rübe gezüchtet wurden. Sie haben besonders kleine Wurzeln, sind oben plattrund, laufen leicht spitz aus und haben manchmal eine bräunliche Farbe. Früher wurden sie vor allem beim Städtchen Teltow am Stadtrand von Berlin angebaut. Wegen ihres besonderen, leicht süßlichen Geschmacks, der dem mageren Sandboden der Mark Brandenburg zu verdanken ist, sind sie weltberühmt geworden. Später wurden sie auch in den fruchtbaren Vierlanden bei Hamburg angebaut. Heute nennt man auch andere Rübenarten so, z. B. die Navets (de Teltow). Saison der Rübchen ist von Mai bis August, bei Aussaat im August von Oktober bis Dezember. Goethe ließ sich die Rübchen im Winter extra von Berlin nach Weimar schicken.

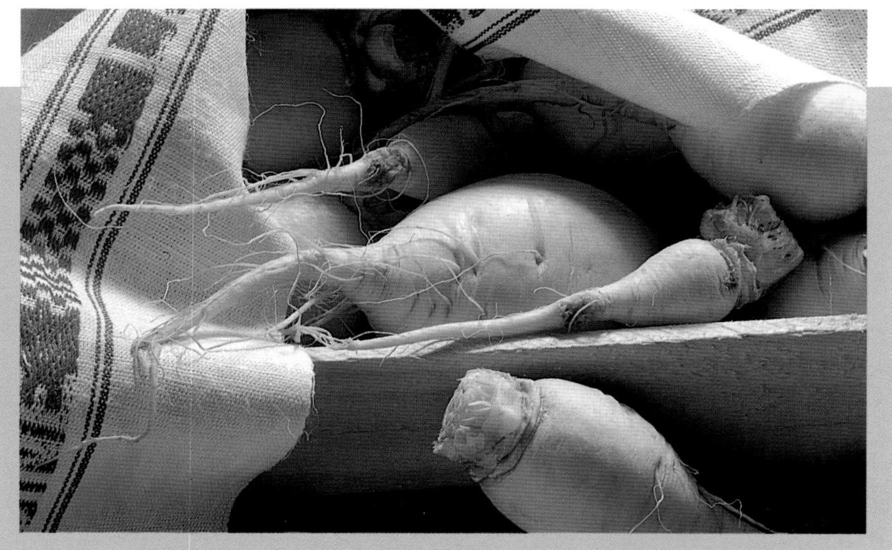

Teltower Rübchen sind wegen ihres besonderen Geschmacks berühmt.

DEFTIGE & SÜSSE HAUPTGERICHTE

Von Bayern bis Schleswig-Holstein kennt und schätzt man die Mehlspeisen oder die Gerichte, die sich daraus entwickelt haben. Früher gab es in der Familie nicht jeden Tag Fleisch oder Fisch, sondern mehrmals in der Woche kamen Mahlzeiten mit Getreideprodukten, Kartoffeln und Obst oder Trockenfrüchten auf den Tisch. Vor allem im Winter, der gemüsearmen Zeit, ersetzte das im Herbst gedörrte Obst die frischen Zutaten vom Feld oder aus dem Garten und wurde mit Getreidegrütze als süßes Hauptgericht gegessen. Dazu kamen noch die strengen Fastenregeln, wobei in manchen Gegenden die Klöster an 200 Tagen im Jahr den Genuß von Fleisch und tierischen Produkten wie Schmalz und Eier untersagten. So war es nicht verwunderlich, daß man in den Klosterküchen versuchte, immer raffiniertere Speisen aus den erlaubten Zutaten zu kreieren. Beispielsweise wird von einem »Braten« aus Brotteig mit Trockenfrüchten berichtet, der mit Zimt und Mandeln bestreut am Spieß gebraten wurde. Statt mit Schmalz bestrich man ihn mit Honig, damit er eine schöne Kruste bekam.
Die Knödel bestanden, ehe die Kartoffel eingeführt wurde, aus Getreide und dienten – so heißt es – auch dazu, eine fleischhaltige Fülle vor den gestrengen Augen der Kirche zu verbergen.

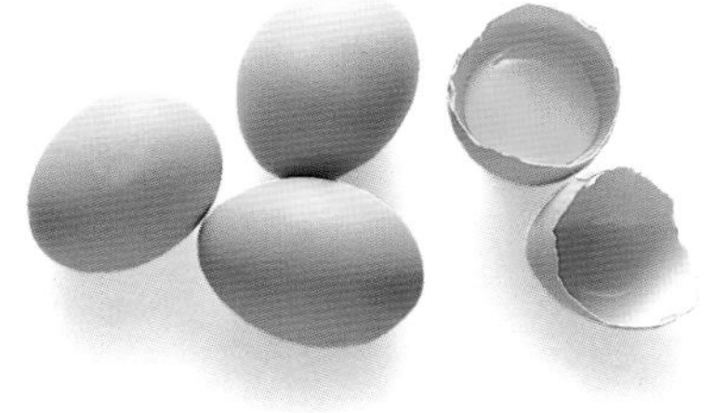

»Gefillte«

Aus dem Saarland · Deftig

Gefüllte Kartoffelknödel mit Schnittlauchbröseln

Zutaten für 4 Portionen:
500 g gekochte kalte Kartoffeln vom Vortag, mehligkochend
500 g rohe Kartoffeln, mehligkochend
2 Eier
etwa 100 g Mehl · Salz
Muskatnuß, frisch gerieben
1 Zwiebel
½ Bund Petersilie
30 g fetter Speck
200 g Hackfleisch (vom Schwein oder gemischt)
schwarzer Pfeffer, frisch gemahlen
Mehl zum Ausrollen
1 Bund Schnittlauch
100 g Butter
4 EL Semmelbrösel

Zubereitungszeit: 1 Std.

Pro Portion: 3000 kJ/710 kcal

1 Die gekochten Kartoffeln schälen und durch die Kartoffelpresse drücken. Die rohen Kartoffeln schälen und fein reiben. Ein Sieb mit einem Tuch auslegen, das rohe Kartoffelmus hineinschütten und abtropfen lassen, dabei den Saft auffangen, zuletzt im Tuch fest auspressen.

2 In einer Schüssel beide Kartoffelmassen zusammen mit Eiern, Mehl, Salz und einer guten Prise Muskat verkneten. Den Kartoffelsaft über der am Boden abgesetzten Stärke vorsichtig abgießen, die Stärke unter den Kartoffelteig mischen. Den Teig etwa 30 Min. kühl gestellt ausquellen lassen.

3 Für die Füllung die Zwiebel schälen und fein würfeln. Petersilie waschen, trockenschütteln und fein hacken. Den Speck fein würfeln und in einer Pfanne auslassen, die Zwiebelwürfel dazugeben und knusprig braten. Zuletzt die Petersilie kurz mitdünsten. Alles unter das Hackfleisch mischen, mit Salz und Pfeffer abschmecken.

4 Den Kartoffelteig auf bemehlter Arbeitsfläche zu einer dicken Rolle formen, in 8 Stücke zerteilen. Jeweils etwas Hackfleisch auf ein Teigstück geben, dieses zum Knödel formen und so mit Hackfleischmasse füllen. Mit dem Rest genauso verfahren.

5 In einem großen Topf reichlich Salzwasser aufkochen und die Knödel darin etwa 25 Min. bei schwacher Hitze gar ziehen lassen, das Wasser darf dabei nicht kochen, sonst zerfallen die »Gefillte«.

6 Für die Sauce den Schnittlauch waschen, trockenschütteln und in feine Röllchen schneiden. Die Butter in einem Töpfchen erhitzen, Semmelbrösel darin hellbraun anrösten, Schnittlauch unterrühren.

7 Klöße mit einem Schaumlöffel aus dem Topf heben, abtropfen lassen und mit den heißen Bröseln übergossen servieren. Dazu reicht man eine große Schüssel mit grünem Salat.

Getränke: Zu den Klößen passen trockene herzhafte Weißweine, möglichst ein Mosel-Saar-Ruwer-Riesling, zum Beispiel aus Leiwen an der Mosel. Aber auch ein frisches herbes Pils schmeckt gut dazu.

Info: Gefüllte Klöße spiegeln eine typische Eigenart der Saarländer wider, nämlich ihre Vorliebe für »Grumbeer'n« (Kartoffeln), die sie in vielen Variationen zubereiten. Die Klöße werden auch auf Sauerkraut serviert und dann »Herzdriggerte« genannt. Sie sind im Saarland wie im Hunsrück sehr beliebt. Oft wird für die Füllung das Hackfleisch, das nicht zu mager sein soll, ebenfalls angebraten – dann durchzieht sein pikanter Geschmack die Knödel noch würziger.

Sauerkraut mit Schupfnudeln

Aus Schwaben · Herzhaft

Fingernudeln aus Kartoffelteig auf Sauerkraut

Zutaten für 4 Portionen:
750 g Kartoffeln, mehligkochend
Salz
100 g Mehl
1 Ei
1 Eigelb
schwarzer Pfeffer, frisch gemahlen
Muskatnuß, frisch gerieben
3 Zwiebeln
50 g Butterschmalz
500 g Sauerkraut, möglichst vom Faß
2 Lorbeerblätter
1 EL Wacholderbeeren
1/4 l Brühe (selbstgemacht oder Fertigprodukt)
1 TL Zucker
40 g fetter Speck

Zubereitungszeit: 1 1/2 Std. (+ 12 Std. Kühlen)

Pro Portion: 2000 kJ/480 kcal

1 Die Kartoffeln schälen, vierteln und in einem Topf in Salzwasser etwa 25 Min. kochen. Abgießen und gut ausdampfen lassen. Zugedeckt über Nacht kühl stellen.

2 Am nächsten Tag Kartoffeln durch die Kartoffelpresse drücken. Mehl, Ei und Eigelb, Salz, Pfeffer und eine Prise Muskat dazugeben, zum Teig verkneten. Wenn der Teig noch zu weich ist, weiteres Mehl unterrühren, bis er gut formbar ist. Zur Seite stellen und ausquellen lassen.

3 Inzwischen Zwiebeln schälen, halbieren und in Streifen schneiden. Butterschmalz in einem Topf erhitzen und die Zwiebelstreifen darin anbräunen. Sauerkraut mit Lorbeerblättern und Wacholderbeeren dazugeben, Brühe angießen und alles etwa 30 Min. zugedeckt bei schwacher Hitze garen.

4 Den Kartoffelteig zu fingerförmigen, etwa 8 cm langen und an den Enden etwas dünner zulaufenden Würstchen formen. In einem großen Topf reichlich Salzwasser aufkochen und diese Schupfnudeln darin etwa 5 Min. bei schwacher Hitze ziehen lassen. Mit einem Schaumlöffel herausheben und abtropfen lassen. Das Sauerkraut mit Salz, Pfeffer und Zucker abschmecken.

5 Lorbeerblätter entfernen. Den Speck würfeln, in einer großen Pfanne auslassen und die Schupfnudeln unter Rütteln der Pfanne rundum braun braten. Samt den Speckstückchen auf dem Sauerkraut anrichten.

Getränke: Dazu paßt Apfelwein, schwäbischer »Moscht« (Most aus Äpfeln und Birnen) oder ein Württemberger Trollinger (leichter heller Rotwein).

Variante: Kartoffelnudeln mit Quark
Nicht nur im Süden Deutschlands, wo sie »Springnudeln« genannt werden, sondern auch im Spreewald kennt man solche Nudeln, die mit Quark zubereitet werden. Dazu 750 g ungeschälte mehligkochende Kartoffeln etwa 25 Min. in Salzwasser garen, aber nicht aufplatzen lassen. Pellen und durch die Kartoffelpresse drücken. 2 kleine Eier, 1 EL Kartoffelstärke, je 2 EL Mehl und Grieß, dann Salz, Pfeffer und Muskat dazugeben, 500 g sehr gut abgetropften Magerquark untermischen, alles zu einem glatten Teig kneten. Etwas quellen lassen. Aus dem Teig fingerdicke und ebenso lange Nudeln formen und in einer großen Pfanne in reichlich heißem Schmalz oder Öl rundum braun braten.
Nach Belieben in gerösteten süßen Zwiebackbröseln mit Zimt wenden und mit Apfelkompott servieren.

Info: Schupfnudeln sind im ganzen süddeutschen Raum beliebt und werden auch gern süß mit Zucker und Zimt oder mit Mohn bestreut gegessen. In Schwaben und im Badischen heißen Schupfnudeln auch »Bubespitzle«.

Pannekuche

Aus Südhessen · Etwas schwieriger

Ausgebackener Schaumpfannkuchen

Zutaten für 4 Portionen:
200 g Mehl
175 ml Milch
6 Eier
Salz
Butterschmalz zum Ausbacken

Zubereitungszeit: 30 Min.

Pro Portion: 1800 kJ/430 kcal

1 In einer Schüssel das Mehl mit Milch und so viel Wasser verrühren, daß ein dickflüssiger Teig entsteht. Die Eier trennen, die Eigelbe in die Mehlmischung quirlen und salzen.

2 Die Eiweiße zu steifem Schnee schlagen und locker unter den Teig heben, er soll zäh fließend sein. Den Backofen auf 75° vorheizen.

3 In einem breiten Topf reichlich Butterschmalz erhitzen, bis an einem hineingetauchten Holzlöffelstiel Bläschen emporsteigen. Dann die Hälfte des Teiges vom Rand her spiralig bis in die Mitte in das heiße Fett laufen lassen, so daß er wie eine große Schnecke den Topf füllt.

4 Etwa 5 Min. backen, bis er auf der Unterseite goldgelb ist, dann mit Hilfe von zwei Schaufeln vorsichtig wenden und auch auf der zweiten Seite backen, bis er leicht gebräunt ist. Auf einer Platte im Ofen (Gas niedrigste Stufe, Umluft 50°) warm halten, die zweite Teigportion genauso backen. Dazu einen grünen Salat, mit vielen Kräutern angemacht, servieren.

Getränk: Dazu trinkt man einen trockenen Weißwein, zum Beispiel einen Riesling von der hessischen Bergstraße oder aus Groß-Umstadt, der »Odenwälder Weininsel«.

Variante: Schaumpfannkuchen
Für den in ganz Deutschland bekannten Schaumpfannkuchen wird der Teig wie oben, nur ohne Wasser und mit 1–2 EL Zucker zubereitet, in eine Pfanne gegossen und darin zugedeckt nur auf einer Seite gebacken. Mit Puderzucker bestäubt zu Kompott servieren.

Info: Im 19. Jahrhundert, zu Ende der 60er Jahre, wurde eine »Wärtschaft« (Wirtschaft) in dem kleinen Dorf Traisa nahe der Stadt Darmstadt am Rande des Odenwalds durch den Pannekuche so bekannt, daß sie sich zu einem weithin geschätzten und beliebten Ausflugsziel entwickelte. Seitdem werden die Einwohner von Traisa (heute in der Großgemeinde Mühltal aufgegangen) mit dem Spitznamen »Traaser Pannekuche« benannt.

Das Rezept für den Pannekuche wurde allerdings streng geheim gehalten, und alle, die mit der Herstellung zu tun hatten, mußten ihrem Brötchengeber ewiges Stillschweigen schwören. So blieb lange Zeit nur der Name erhalten, das Rezept schien verschollen zu sein. Erst 1966 tauchte es wieder auf: Zur 750-Jahr-Feier des Dorfes gab eine alte Bürgerin, früher Angestellte bei Oberstleutnant Bullrich, das Rezept bekannt. Der Oberstleutnant hatte als einziger in seiner Küche mit Erlaubnis des Wirtshausbesitzers den Original-Pannekuche zubereiten dürfen, und auf seinem Gut, dem »Dippelshof«, wurden die Köchinnen ebenfalls verpflichtet, das Geheimnis zu wahren. Die Aussicht, daß mit ihr das traditionsreiche Gericht endgültig verloren ginge und ihr Schweigen keinem mehr nütze, konnte die alte Köchin zum Glück schließlich überzeugen, die Zubereitung preiszugeben.

Ofenschlupfer

Aus Schwaben · Süßes Hauptgericht

Semmelauflauf mit Äpfeln, Rosinen und Mandeln

Zutaten für 4 Portionen, für eine Auflaufform von 30 cm Ø:
6 altbackene Semmeln (Brötchen)
375 ml Milch
1 Vanilleschote
80 g Zucker
125 g Rosinen
500 g Äpfel (z. B. Boskop)
½ unbehandelte Zitrone
100 g gemahlene Mandeln
Fett für die Auflaufform
4 Eier
⅛ l Milch
2 EL Zucker
1 Msp. Zimt

Zubereitungszeit: 15 Min. (+ 40 Min. Backen)

Pro Portion: 3100 kJ/740 kcal

1 Die Semmeln in dünne Scheiben aufschneiden und in eine Schüssel geben. Milch in einen Topf füllen, Vanilleschote längs aufschlitzen, das Mark auskratzen und dieses mit der Schote zur Milch geben. Milch langsam aufkochen. Die Schote herausnehmen, die Hälfte des Zuckers einrühren und die gewürzte Milch über die Semmelscheiben träufeln und einziehen lassen.

2 Inzwischen die Rosinen heiß abspülen, gut abtropfen lassen. Die Äpfel schälen, vierteln und das Kerngehäuse ausschneiden. Apfelviertel in dünne Scheiben schneiden, Zitrone darüber auspressen, Äpfel mit dem restlichen Zucker, den Rosinen und Mandeln vermischen.

3 Den Backofen auf 200° vorheizen. Die Auflaufform fetten. Zuerst eine Lage Semmelscheiben, darauf einen Teil der Apfelmischung, darüber wieder Semmelscheiben und so weiter einschichten, bis alles verbraucht ist – die letzte Lage soll aus Semmeln bestehen.

4 Für den Guß die Eier mit Milch, Zucker und Zimt verquirlen. Schale der halben Zitrone abreiben und dazugeben, alles über den Auflauf gießen und im Ofen (Mitte, Gas Stufe 3, Umluft 180°) 35–40 Min. backen, bis die Oberfläche schön gebräunt ist. Dazu paßt kalte Vanillesauce (Beilagen-Tip) oder leicht angeschlagene süße Sahne.

Getränk: Dazu schmeckt ein trockener oder halbtrockener Gewürztraminer aus der Pfalz.

Beilagen-Tip: Vanillesauce
Von ½ l Milch einige EL abnehmen und 1 EL Speisestärke damit anrühren. In einem Topf 2 Eigelbe mit 4 EL Zucker und 1 Päckchen echtem Bourbon-Vanillezucker weißschaumig rühren. Milch und die angerührte Speisestärke dazugeben und unter ständigem Rühren mit dem Schneebesen bis knapp unter den Siedepunkt erhitzen. Zum Abkühlen den Topf in kaltes Wasser stellen und die Sauce öfter durchrühren, damit sich keine Haut an der Oberfläche bildet.

Variante: Pfälzer Kerscheplotzer
(Kirschauflauf)
8 altbackene Brötchen in Scheiben schneiden. ½ l Milch erhitzen und darüber träufeln. Einziehen lassen. Inzwischen 4 Eier trennen, die Eigelbe mit 50 g weicher Butter und 3 EL Zucker weißschaumig rühren. Etwa 1 TL Schale von einer unbehandelten Zitrone dazureiben. Brötchen etwas ausdrücken und unter die Eimasse rühren. 1 kg Weichseln (Sauerkirschensorte) oder süße Kirschen entsteinen und unter die Brötchenmasse heben. Die Eiweiße steif schlagen, dabei 2 EL Zucker untermischen. Eine flache Auflaufform fetten und mit der Kirsch-Brötchenmasse füllen. Bei 200° im Ofen (Mitte, Gas Stufe 3, Umluft 180°) etwa 30 Min. backen. Dann 2 EL Zucker mit 1 TL Zimt mischen und darüber streuen, 2 EL Butter in Flöckchen darauf setzen und noch etwa 10 Min. backen.

Info: Ofenschlupfer ist ein Semmelauflauf, der je nach Küchenvorräten gern abgewandelt wird. Der Name deutet an, daß der Auflauf früher beim Backen mit den Broten »in den Ofen geschlupft« ist.

Dampfnudeln

Aus Bayern · Braucht etwas Zeit

Hefeklöße, im geschlossenen Topf gegart

Zutaten für 4 Portionen:
500 g Mehl
1 Würfel Hefe (42 g)
1/4 l lauwarme Milch
50 g Zucker
50 g Butter
Salz
Mehl für die Arbeitsfläche
Zum Garen:
40 g Butter
50 g Zucker
1/4 l Milch

Zubereitungszeit: 30 Min.
(+ 1 3/4 Std. Ruhen + 30 Min. Garen)

Pro Portion: 3100 kJ/740 kcal

1 Mehl in eine Schüssel geben, in die Mitte eine Vertiefung drücken. Die Hefe hineinbröseln, mit der Hälfte der lauwarmen Milch und mit dem Zucker verrühren, dabei etwas Mehl untermischen. Mit Mehl vom Rand bestreuen und etwa 15 Min. offen gehen lassen.

2 Inzwischen Butter schmelzen, abkühlen lassen. Vorteig mit restlicher Milch, Butter und etwas Salz verrühren, zu einem glatten Teig verkneten. Etwa 1 Std. zugedeckt an einem warmen Ort gehen lassen.

3 Erneut kräftig durchkneten, zur Rolle formen. In 10 gleiche Stücke teilen, zu Kugeln drehen. Auf der bemehlten Arbeitsfläche auslegen und mit einem Tuch bedecken. Etwa 30 Min. gehen lassen.

4 In einem großen, flachen Topf (mit dicht schließendem Deckel) die Butter zum Garen erhitzen, den Zucker darüber streuen und karamelisieren lassen. Milch aufgießen. Die Teigkugeln nebeneinander hineinlegen, Deckel auflegen und etwa 30 Min. bei schwacher Hitze ganz leise sieden lassen (Deckel auf keinen Fall abnehmen, sonst fallen die Dampfnudeln zusammen). Heiß mit kalter Vanillesauce (Beilagen-Tip S. 100) servieren.

Variante: Rohrnudeln
Teig wie oben zubereiten und formen. Kugeln in eine gefettete Auflaufform setzen, dick mit zerlassener Butter bestreichen, im Ofen bei 200° (unten, Gas Stufe 3, Umluft 180°) etwa 30 Min. backen.

Himmel un Ährd

Aus dem Rheinland · Gelingt leicht

Kartoffelpüree mit Apfelkompott und gebratener Blutwurst

Zutaten für 4 Portionen:
1,3 kg Kartoffeln, mehligkochend
Salz
5 Äpfel (etwa 850 g, z. B. Boskop)
150 ml Weißwein · 1 EL Zucker
50 g Butter
schwarzer Pfeffer, frisch gemahlen
Muskatnuß, frisch gerieben
50 g fetter Speck · 3 Zwiebeln
300 g harte Blutwurst (im Naturdarm, leicht angeräuchert und dann luftgetrocknet)

Zubereitungszeit: 1 Std.

Pro Portion: 3500 kJ/830 kcal

1 Kartoffeln schälen, halbieren und in Salzwasser etwa 25 Min. kochen. Äpfel schälen, vierteln und das Kerngehäuse ausschneiden. Apfelschnitze quer halbieren und in einer Pfanne in Weißwein mit Zucker etwa 15 Min. dünsten. Den Backofen auf 75° vorheizen.

2 Kartoffeln abgießen, etwas Kochwasser auffangen. Die Butter auf den Kartoffeln schmelzen lassen, mit dem Kartoffelstampfer grob zerdrücken, dabei so viel Kochwasser dazugeben, daß ein dickes Mus entsteht. Mit Salz, Pfeffer und Muskat abschmecken. In die Mitte einer Platte häufen, die gedünsteten Äpfel mit dem Saft daneben legen. Im Backofen (Gas niedrigste Stufe, Umluft 50°) warm stellen.

3 Speck klein würfeln und in einer Pfanne auslassen. Zwiebeln schälen und in Scheiben schneiden. Blutwurst mit Haut in zentimeterdicke Scheiben schneiden, an einer Seite längs leicht einschneiden, damit sich die Wurstscheiben beim Braten nicht wölben. Die Speckstückchen aus der Pfanne zur Seite schieben, die Wurst im Speckfett auf beiden Seiten knusprig braten. Aus der Pfanne heben und zu den Äpfeln legen. Die Zwiebelscheiben im Bratfett bräunen und mit dem Speck über das Kartoffelpüree streuen.

Uhles – Topfkuchen

Aus Westfalen · Deftig

Kartoffelauflauf mit Speck und Wurst

Zutaten für 6 Portionen, für eine flache Auflaufform von 35 x 30 cm:
2 kg Kartoffeln, vorwiegend festkochend
2 Zwiebeln · 2 Eier
1 EL Mehl · 2 EL Öl · Salz
schwarzer Pfeffer, frisch gemahlen
Muskatnuß, frisch gerieben
100 g geräucherter Speck, durchwachsen, ohne Schwarte
250 g geräucherte Mettwurst
Fett für die Form

Zubereitungszeit: 30 Min. (+ 1¼ Std. Backen)
Pro Portion: 2800 kJ/670 kcal

1 Die Kartoffeln schälen und grob raffeln. Zwiebeln schälen und klein würfeln, mit Eiern, Mehl und Öl unter die Kartoffeln rühren. Mit Salz, Pfeffer und Muskat kräftig würzen. Speck in schmale Streifen schneiden. Mettwurst längs halbieren und in etwa zentimeterdicke Scheiben schneiden.

2 Den Backofen auf 180° vorheizen. Die Auflaufform fetten, die Hälfte der Kartoffelmasse einfüllen und mit der Hälfte der Speckstreifen und Mettwurstscheiben belegen. Die zweite Hälfte der Kartoffelmasse darübergeben und mit restlichem Speck und Wurst belegen.

3 Im Ofen (Mitte, Gas Stufe 3, Umluft 160°) offen etwa 1¼ Std. backen. Wenn die Oberfläche zu dunkel wird, mit Pergamentpapier abdecken. Zum Auflauf paßt eine große Schüssel Salat, mit Essig, Öl und reichlich Dill angemacht.

Info: Der Name des Gerichts könnte von Uhl (Eule) kommen, vielleicht weil die noch ganzen Wurstscheiben wie Eulenaugen aussehen.

Kartoffeln haben kleine dekorative, weiße oder violette Blüten.

Kartoffeln

Daß die Kartoffeln in Deutschland einen so großen Stellenwert einnehmen, haben katastrophale Mißernten und Hungersnöte im 18. Jahrhundert bewirkt. Vor allem für Bauern mit wenig Ackerland war der Anbau der stärkereichen Knollen ein Segen, weil sie auf gleicher Fläche dreimal mehr Nährstoffe als Getreide hervorbringen. Außerdem gedeihen Kartoffeln auch auf mageren sandigen und moorigen Böden, auf denen sonst nur anspruchsloser Buchweizen wachsen könnte. Weltweit gibt es mehr als 2000 Kartoffelsorten, doch nur etwa 100 sind in Deutschland erhältlich. Man unterscheidet sie zum einen nach ihrer Reifezeit – die delikaten, aber nur kurz haltbaren Frühkartoffeln werden schon im Mai in der Rheinebene und in der Pfalz geerntet, die bis zum nächsten Frühjahr lagerfähigen späten Sorten erst Ende Oktober. Zum anderen nach ihrer Kocheigenschaft: Für Salat und Bratkartoffeln nimmt man festkochende Sorten wie Hansa, Nicola, Sieglinde, Cilena, Linda oder Selma. Als Beilage eignen sich vorwiegend festkochende wie Granola, Grata, Grandifolia, Roxy, Hela, Jetta oder Ulla. Für Salzkartoffeln, Knödel und Kartoffelpüree braucht man mehlig-festkochende wie Aula, Datura, Irmgard, Maritta oder Bintje. Richtig mehlige Sorten, wie sie früher in Mecklenburg, Pommern und der Mark Brandenburg angebaut wurden, sind heute kaum noch zu finden.

liter
0,9
0,8
0,7
0,6
0,5
0,4
0,3
0,2

DESSERTS & GETRÄNKE

Ein Dessert – auf gut deutsch »Nachtisch« genannt – war früher keineswegs alltäglich. Gab es frisches Obst, so wurde es einfach so gegessen, höchstens mit Honig oder Zucker gesüßt. Oder es wurde, wie es in ganz Norddeutschland beliebt ist, zu einer Roten Grütze gekocht. Im Herbst und den Winter über dünstete man Äpfel und Birnen als Kompott, das heute auch gern als Beilage zu Klößen oder Wild serviert wird. Trockenfrüchte spielten in der alten deutschen Küche eine wichtige Rolle. Äpfel, Birnen und Pflaumen wurden im Backofen vorgedörrt, auf Schnüre aufgereiht und an der Luft getrocknet. Sie stellten den Obstvorrat für den Winter dar, sie wurden ebenfalls zu Kompott gekocht oder für Kuchen und Stollen verwendet. Ein einfaches sommerliches Gericht, das in allen Gebieten bekannt ist, besteht aus dicker Milch, die mit Zucker und Zimt bestreut wird. Dafür wurde früher die frische Milch in Steingutschalen gefüllt und im Milchschrank so lange stehen lassen, bis sie stockte. Die fertige dicke Milch wurde entrahmt, denn aus dem Rahm gewann man die Butter. Läßt man die dicke Milch in einem Tuch abtropfen, so entsteht der Quark oder Topfen, der für eine Vielzahl von Desserts und Kuchen verwendet wird.

Die cremigen Süßspeisen, die heute als Abschluß eines feinen Essens serviert werden, entstanden zuerst in den fürstlichen Küchen, denn der dafür notwendige Zucker, aus Zuckerrohr gewonnen, war noch weit bis ins 17. Jahrhundert hinein so teuer, daß er nur in Apotheken verkauft wurde. Erst mit dem Anbau der Zuckerrüben wurden die Desserts auch für das einfache Volk zu einer erschwinglichen Delikatesse.

Kartäuserklöße

Aus Bayern

Eingeweichte Semmeln mit schaumiger Weinsauce

Zutaten für 4 Portionen:
8 altbackene längliche Semmeln (Brötchen)
3/4 l Milch
1 Vanilleschote
1/2 unbehandelte Zitrone
Salz · 100 g Zucker
2 ganz frische Eier
Semmelbrösel zum Panieren
80 g Butter
1 TL Zimt, gemahlen
Für die Sauce:
2 TL Speisestärke
1/2 l Weißwein · 2 EL Zitronensaft
4 EL Zucker · 4 Eier
nach Belieben: Puderzucker zum Garnieren

Zubereitungszeit: 45 Min.

Pro Portion: 4100 kJ/980 kcal

1 Von den Semmeln die Kruste abreiben und aufheben. Die Semmeln längs halbieren. Milch in einen Topf füllen. Vanilleschote aufschlitzen, das Mark herausschaben und zur Milch geben. Die Milch erhitzen, die Schale der Zitrone abreiben, dazugeben, eine Prise Salz und 3 EL vom Zucker einstreuen. Dann die warme gewürzte Milch über die Brötchen träufeln und etwa 10 Min. einziehen lassen, sie dürfen aber nicht zu weich werden.

2 Die eingeweichten Semmeln herausnehmen und auf einem Kuchengitter abtropfen lassen. Die Eier in einem tiefen Teller verquirlen. Die abgeriebene Brötchenrinde mit Semmelbröseln auf einem zweiten Teller mischen. Backofen auf 75° vorheizen.

3 In einer Pfanne die Butter erhitzen. Die Semmelhälften erst in den Eiern, dann in den Bröseln wenden und in der heißen Butter rundum braun braten. Den restlichen Zucker mit dem Zimt vermischen und einen Teil davon über die fertigen Kartäuserklöße streuen, den Rest extra servieren. Die Kartäuserklöße im Ofen (Gas niedrigste Stufe, Umluft 50°) warm stellen.

4 Für die Weinschaumsauce Speisestärke mit etwas Weißwein anrühren. In einer Metallschüssel den restlichen Wein, Zitronensaft, Zucker und Eier verquirlen, die angerührte Speisestärke unterrühren. Die Schüssel in ein heißes Wasserbad stellen und unter ständigem Schlagen mit dem Schneebesen oder dem Elektroquirl erhitzen, bis die Sauce ganz dick und schaumig ist. Sofort zu den Klößen servieren.

Wichtiger Hinweis: Bitte verwenden Sie nur ganz frische Eier von freilaufenden Hühnern, um das Salmonellenrisiko zu verringern.

Variante: Scheiterhaufen
(Brötchenauflauf)
Aus Mecklenburg stammt ein ähnliches Gericht: von 6 Brötchen die Kruste abreiben, Brötchen längs halbieren. 1/2 l Milch mit 3 Eiern und 75 g Zucker verrühren und über die Brötchen gießen. 8 säuerliche Äpfel schälen und auf der Rohkostreibe raffeln. Mit 1 Päckchen Vanillezucker und etwas Zimt bestreuen. Den Backofen auf 200° vorheizen. Eine flache Auflaufform ausbuttern und abwechselnd die eingeweichten Brötchen und die gezuckerten Äpfel einfüllen, mit 2 EL Rosinen bestreuen. Die oberste Lage soll aus Brötchen bestehen. 3 EL Butter in kleinen Flöckchen darauf setzen und die Form im Ofen (Mitte, Gas Stufe 3, Umluft 180°) etwa 45 Min. backen. Mit Zucker zum Bestreuen und einer Vanillesauce servieren.

Info: Diese auch »Arme Ritter« genannte Fastenspeise der Mönche wurde schon in einem Kochbuch aus dem 14. Jahrhundert erwähnt. Der Kartäuser-Orden ist sehr streng und erlaubte seinen Mönchen kein Fleisch. Wochentags lebten sie einzeln in ihren Klausen, die sie nur zum Gebet verließen. An Sonntagen und an Feiertagen gab es jedoch ein gemeinschaftliches Essen in der Kartause. Dafür wurden dann die trocken gewordenen Semmeln in dieses köstliche Gericht verwandelt. Früher wurden die Brötchen oder Semmeln allerdings nicht aus Weißmehl gebacken wie heute, denn helles Weizengebäck war eine teure Delikatesse und den Tafeln der reichen Fürstenhöfe vorbehalten. Die Mönche, Bauersfrauen und Bäcker buken ihr Brot aus grobem Mehl von Roggen, Hafer und auch Gerste. Daher vielleicht auch der Name »Arme Ritter« für den Auflauf. Da nur alle ein bis zwei Wochen gebacken wurde, gab es oft hartes Brot, das zum Essen erst aufgeweicht werden mußte.

Quarkkeulchen

Aus Sachsen

Küchlein aus Quarkteig, in der Pfanne gebraten

Zutaten für 4 Portionen:
750 g Kartoffeln, mehligkochend
250 g Magerquark
2 Eier · 50 g Mehl
3 EL Zucker · 50 g Korinthen
½ unbehandelte Zitrone
Salz · Muskatnuß, frisch gerieben
Mehl für die Arbeitsfläche
75 g Butterschmalz
50 g Zucker und 1 TL Zimt zum Bestreuen

Zubereitungszeit: 30 Min.
(+ 25 Min. Garen + 1 Std. Abkühlen)

Pro Portion: 2500 kJ/600 kcal

1 Kartoffeln in einem Topf in Wasser etwa 25 Min. garen, pellen und noch heiß durch die Kartoffelpresse drücken. Ganz auskühlen lassen. Backofen auf 75° vorheizen.

2 Den Quark in ein Sieb geben und gut abtropfen lassen. Unter die kalte Kartoffelmasse mischen, Eier, Mehl und Zucker dazurühren. Korinthen mit kochendem Wasser übergießen, abgießen, mit einem Küchentuch trockenreiben. Zitronenschale abreiben, mit den Korinthen und je einer Prise Salz und Muskat zum Teig geben. Nochmals gut durchkneten und auf der mit Mehl bestreuten Arbeitsfläche keilförmige, gut handtellergroße und etwa 2 cm dicke Küchlein formen.

3 Butterschmalz in einer Pfanne erhitzen und die Keulchen mit Abstand portionsweise bei mittlerer Hitze auf jeder Seite in etwa 7 Min. goldbraun braten, die fertigen im Ofen (Gas niedrigste Stufe, Umluft 50°) warmhalten.

4 Zucker und Zimt vermischen und die heißen Keulchen damit bestreuen. Sofort servieren. Dazu paßt Apfelmus (Beilagen-Tip S. 61) oder Kompott.

Info: Die »Gäulschen«, wie sie im sächsischen Dialekt heißen, sind hier ein beliebter Nachtisch nach einem leichteren Hauptgericht oder werden als Abendimbiß mit Pflaumenkompott gereicht.

Rote Grütze

Aus Hamburg · Gelingt leicht

Gelee aus roten Früchten mit Sahne

Zutaten für 4 Portionen:
je 350 g Kirschen, Himbeeren und Johannisbeeren
1 Vanilleschote
180 g Zucker
60 g Speisestärke
200 g Sahne

Zubereitungszeit: 45 Min.
(+ 1 Std. Kühlen)

Pro Portion: 2100 kJ/500 kcal

1 Das Obst waschen, die Kirschen entsteinen, Himbeeren verlesen und die Johannisbeeren von den Rispen streifen, einige Beeren beiseite legen. Die Vanilleschote der Länge nach aufschlitzen. Das Obst mit Vanilleschote und 250 ml Wasser in einen Topf geben und zugedeckt bei mittlerer Hitze etwa 15 Min. kochen lassen.

2 Ein Sieb mit einem Tuch auslegen, auf einen Topf setzen. Die Früchte ins Tuch abgießen, zunächst abtropfen lassen, dann das Tuch kräftig auswringen. Den aufgefangenen Saft mit Zucker verrühren und aufkochen.

3 Speisestärke mit ½ Tasse Wasser anrühren und damit den Saft binden. Noch einmal aufwallen lassen, in vier Schüsselchen verteilen und etwa 1 Std. kühl stellen. Zum Servieren die Sahne nur leicht anschlagen, sie soll noch fließen, und dazu reichen. Die beiseite gelegten Johannisbeeren extra dazu reichen, nach Belieben mit der Sahne auf die Grütze geben.

Info: Heute wird die Rote Grütze meist mit Speisestärke angedickt. Ursprünglich wurde sie aber, wie der Name verrät, aus Gerstengrütze gekocht, die in den nördlichen Ländern weiter verbreitet war als im Süden, wo Hafergrütze höher im Kurs stand.

Götterspeise

Aus Westfalen · Gelingt leicht

Schichtspeise mit Äpfeln, Sahne, Pumpernickel und Nüssen

Zutaten für 4 Portionen:
2 Äpfel (z. B. Boskop)
Saft von 1/2 Zitrone
100 g Pumpernickel
100 g Mandelmakronen
75 g Haselnüsse
350 g gut gekühlte Sahne
2 EL Zucker
12 Kirschen, entsteint und halbiert

Zubereitungszeit: 30 Min.
(+ 1 Std. Kühlen)

Pro Portion:
2600 kJ/620 kcal

1 Die Äpfel schälen, vierteln und das Kerngehäuse ausschneiden. Die Apfelviertel längs in dünne Scheiben schneiden und mit Zitronensaft beträufeln. In einem Topf in 2–3 EL Wasser zugedeckt bei schwacher Hitze etwa 10 Min. garen, dann in ein Sieb abgießen und abtropfen lassen.

2 Den Pumpernickel fein zerbröseln, die Makronen und die Haselnüsse durch die Mandelmühle drehen (notfalls auch im Blitzhacker zerkleinern). Die Sahne steif schlagen, dabei den Zucker dazurieseln lassen. Pumpernickel, Makronen und Nüsse unter die Sahne heben, alles in Glasschälchen füllen. Mindestens 1 Std. kühl stellen. Dann mit den Apfelspalten und Kirschen garnieren.

Getränke: Dazu paßt ein edelsüßer Riesling oder samtiger Rotwein, zum Beispiel von der Ahr.

Info: Die so verheißungsvoll klingenden »Götterspeisen« gibt es in unterschiedlichster Art: im Norden Deutschlands versteht man darunter ein süßes Gelee aus Obstsaft und Gelatine, auch »Wackelpudding« genannt, bei den Sudeten ist es dagegen ein Dessert aus Vanillecreme, über Obststückchen und Löffelbiskuits gegossen.

Tip! Statt Pumpernickel können Sie auch dunkles Vollkornbrot nehmen und nicht zu fein zerbröseln. Nach Belieben mit etwas Mandellikör beträufeln.

Pumpernickel, das beliebte Vollkornbrot, ist von besonders dunkler Farbe.

Pumpernickel

Die netteste Erklärung für den seltsamen Namen dieses schwarzen Vollkornbrotes ist sicher die, daß ein französischer Soldat die westfälische Spezialität mit den Worten: »C'est bon pour Nickel« (das ist für Nickel gut), abgelehnt haben soll, wobei »Nickel« der Name seines Pferdes war. Wohl eher der Wahrheit entspricht die Deutung, der Name habe sich aus einem alten Wort für »Poltergeist« entwickelt, denn der Genuß dieses Vollkornbrotes erzeugt beim untrainierten Esser ein polterndes Gefühl in Magen und Darm. Kein Wunder, daß die Westfalen dazu gern einen Steinhäger oder einen anderen Klaren trinken. Sicher ist: Pumpernickel kennt man bereits seit dem 15. Jahrhundert, es wird aus Roggenschrot, Wasser und Salz gebacken. Der lange gegorene und gesäuerte Teig wird bei niedriger Ofentemperatur etwa 20 Stunden gebacken. Dabei wird die Stärke im Korn zu dunklem Karamel und gibt dem Brot die schwarze Farbe.

Bayerische Creme

Gut vorzubereiten · Fruchtig

Eier-Sahne-Creme, geliert

Zutaten für 4 Portionen:
2 Blatt helle Gelatine
1 Vanilleschote
3 ganz frische Eigelb
70 g Zucker
1 EL Kirschwasser
300 g Sahne
Für das Püree:
300 g Himbeeren
2 EL Zucker
2 cl Himbeergeist

Zubereitungszeit: 40 Min. (+ 6 Std. Kühlen)

Pro Portion: 1700 kJ/400 kcal

1 Gelatineblätter in kaltem Wasser etwa 5 Min. einweichen, bis sie weich und glibberig sind. Die Vanilleschote längs halbieren und das Mark, die kleinen schwarzen Kernchen, auskratzen.

2 In einer Schüssel die Eigelbe mit Zucker verrühren, Vanillemark dazugeben und mit dem Schneebesen so lange kräftig schlagen, bis eine dicke, hellschaumige Masse entstanden ist.

3 Gelatine in einem kleinen Töpfchen tropfnaß bei schwacher Hitze mit dem Kirschwasser auflösen, einige Löffel Sahne unterrühren.

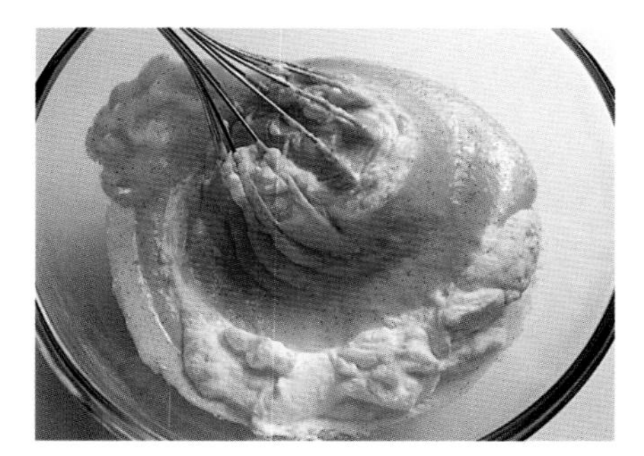

4 Die flüssige Gelatine kräftig unter die Eigelbmasse rühren. Die restliche Sahne steif schlagen und mit einem Schneebesen locker unter die Eimasse heben.

5 Die Creme in vier kalt ausgespülte Portionsförmchen füllen und 4–6 Std. zugedeckt im Kühlschrank kalt stellen.

6 Für das Himbeerpüree die Beeren kurz waschen und gut abtropfen lassen. Pro Portion etwa 10 schöne Beeren zum Garnieren zur Seite legen, die restlichen Beeren durch ein feines Sieb streichen. Püree dann mit Zucker und Himbeergeist verrühren und kühl stellen.

7 Zum Servieren die Förmchen kurz in heißes Wasser tauchen und auf Dessertteller stürzen. Mit dem Himbeerpüree umgießen und mit den zur Seite gelegten Früchten garnieren.

Wichtiger Hinweis: Bitte verwenden Sie nur ganz frische Eier von freilaufenden Hühnern, um das Salmonellenrisiko zu verringern.

Getränke: Zu dieser feinen Süßspeise paßt eine edelsüße Riesling-Auslese, zum Beispiel aus dem Rheingau, oder eine halbtrockene Scheurebe Spätlese aus der Rheinpfalz.

Info: Die Bayerische Creme, in Süddeutschland auch »Rahmsulz« genannt, ist eines der wenigen deutschen Desserts, das Eingang in die internationale Küche gefunden hat – als »Crème bavaroise« ist sie weltweit bekannt. Das verwundert um so mehr, wenn man sich die sonst vorwiegend unkomplizierte bayerische Küche ansieht. Dieses Dessert wird in den feinsten Restaurants serviert, oft noch mit geschmolzener Schokolade und gezuckerten Beeren garniert.

Welfencreme

Aus Bremen

Creme aus Vanille und Weinschaum

Zutaten für 4 Portionen:
½ l Milch
40 g Speisestärke
2 Vanilleschoten
80 g Zucker
1 Prise Salz
3 ganz frische Eier
250 ml trockener Weißwein

Zubereitungszeit: 40 Min.

Pro Portion: 1400 kJ/330 kcal

1 Von der Milch ½ Tasse abnehmen und die Speisestärke damit anrühren. Die restliche Milch in einen Topf geben. Vanilleschoten aufschlitzen, das Mark und die Schoten in die Milch rühren, die Hälfte des Zuckers und Salz dazugeben und aufkochen.

2 Die angerührte Speisestärke in die kochende Milch quirlen und aufwallen lassen. Vom Herd nehmen, die Vanilleschoten entfernen. Die Eier trennen, Eiweiße zu steifem Schnee schlagen und unter die heiße Puddingcreme heben. In Portionsschälchen oder Gläser verteilen.

3 Die Eigelbe in einer Metallschüssel mit dem restlichen Zucker schaumig rühren, den Wein dazugießen und im heißen Wasserbad so lange schlagen, bis eine cremige Masse entstanden ist. Die Schüssel in kaltes Wasser stellen und weiterschlagen, bis die Creme kalt ist. Über die Vanillecreme gießen und servieren.

Wichtiger Hinweis: Bitte verwenden Sie nur ganz frische Eier von freilaufenden Hühnern, um das Salmonellenrisiko zu verringern.

Info: Die Welfen waren eine der ältesten Herrscherdynastien Deutschlands, zu denen auch das hannoversche Königshaus gehörte. Ihm und seinen Wappenfarben – Weiß und Gelb – zu Ehren wurde dieses festliche Dessert komponiert.

Schwarzer Magister

Aus Hessen · Gelingt leicht

Auflauf aus Weißbrot, Backpflaumen und Eiermilch

Zutaten für 6 Portionen:
500 g Dörrpflaumen ohne Stein (oder Trockenpflaumen, verzehrfertig)
2 EL Zucker
1 Stange Zimt (etwa 7 cm)
1 unbehandelte Zitrone
375 g altbackenes Weißbrot
100 g Butter
3 Eier
½ l Milch
2 Tropfen Bittermandelaroma
Zucker zum Nachsüßen
nach Belieben: Puderzucker zum Bestreuen

Zubereitungszeit: 40 Min. (+ 1 Std. Backen)

Pro Portion: 2700 kJ/640 kcal

1 Dörrpflaumen mit ½ l Wasser, Zucker und Zimtstange in einen Topf geben. Die Zitrone heiß waschen, trocknen, die Schale dünn abschneiden, unterrühren und alles etwa 15 Min. bei schwacher Hitze zugedeckt kochen lassen (verzehrfertige Pflaumen nur etwa 5 Min. erhitzen). Die Pflaumen aus dem Saft heben, den Saft aufheben.

2 Das Weißbrot in dünne Scheiben schneiden und in 3 EL von der Butter auf beiden Seiten braun braten. Mit 1 EL Butter eine Auflaufform fetten, mit Brotscheiben auslegen. Darauf eine Lage Pflaumen verteilen, wieder Brotscheiben darauf legen und so fortfahren, bis alles verbraucht ist, die letzte Lage besteht aus Brotscheiben.

3 Backofen auf 180° vorheizen. Den Pflaumensaft offen bei starker Hitze um ein Drittel einkochen, Zitronenschale und Zimtstange entfernen. Eier und Milch verrühren, in den heißen Pflaumensaft quirlen, mit Bittermandelaroma und Zucker abschmecken. Nicht mehr kochen lassen. Die dunkle Eiermilch über den Auflauf gießen, die restliche Butter in Flöckchen darauf setzen. Auflauf im Ofen (Mitte, Gas Stufe 2, Umluft 160°) etwa 1 Std. backen, falls die Oberfläche zu dunkel wird, mit Pergamentpapier abdecken. Den Auflauf auf Teller verteilen, nach Belieben mit Puderzucker bestreuen. Dazu paßt Vanillesauce (Beilagen-Tip S. 100).

Glühwein

Aus Süddeutschland · Gelingt leicht

Gewürzter heißer Rotwein

Zutaten für 6 Portionen:
2 Flaschen kräftiger Rotwein
1 unbehandelte Zitrone
2 Stangen Zimt (je etwa 7 cm)
5 Gewürznelken
80 g Zucker

Zubereitungszeit: 15 Min.

Pro Portion: 1000 kJ/240 kcal

1 Den Rotwein in einen Topf gießen. Die Zitrone heiß abwaschen und in Scheiben schneiden. Mit den übrigen Zutaten zum Rotwein geben und langsam erhitzen. Der Wein darf nicht kochen, sonst verfliegt der Alkohol und der Glühwein schmeckt schal.

2 Den sehr heißen Glühwein in spezielle hitzefeste Gläser oder Keramiktassen füllen und möglichst heiß trinken.

Info: Das Getränk ist vor allem zum vorweihnachtlichen Christkindelsmarkt überall in Deutschland sehr beliebt. Beim Nürnberger Christkindlswein wird noch Holundersaft hinzugegeben, was ihm eine schöne dunkle Farbe gibt und auch noch gegen Erkältungen schützen soll. Um Frankfurt liebt man im Winter »haaße Ebbelwoi«, der nach diesem Rezept, aber statt Rotwein mit herbem Apfelwein zubereitet wird.

Heißer Seehund

Von der Nordseeküste · Wärmt auf

Weißweingetränk

Zutaten für 4 Portionen:
1 unbehandelte Zitrone
1 Flasche Weißwein
1 Stange Zimt (etwa 7 cm)
75 g Rosinen · 50 g Zucker

Zubereitungszeit: 15 Min.
Pro Portion: 1100 kJ/260 kcal

1 Zitrone heiß abwaschen. Den Wein in einen Topf geben, von der Zitrone einen etwa 10 cm langen Streifen Schale abschneiden. Zitrone auspressen. Zitronenschale mit -saft, der Zimtstange, Rosinen und Zucker in den Wein rühren.

2 Den gewürzten Wein langsam erhitzen, bis die Rosinen dick aufgequollen sind, die Mischung darf dabei nicht zum Kochen kommen. Zimtstange entfernen, Wein heiß, z. B. in hitzefesten Henkelgläsern, servieren. Nach Belieben mit einem Stück Zitronenschale dekorieren.

Pharisäer

Geht schnell · Gelingt leicht

Kaffee mit Sahne und Rum

Zutaten für 4 Portionen:
8 EL gemahlener Kaffee
125 g Sahne
4–8 Stück Würfelzucker
4 Schnapsgläschen Rum (je 2 cl)

Zubereitungszeit: 20 Min.

Pro Portion: 590 kJ/140 kcal

1 Den Kaffee mit 1 l kochendem Wasser aufgießen, etwa 10 Min. ziehen lassen. Die Sahne nicht zu steif schlagen. Große Steinguttassen mit kochendem Wasser ausspülen, jeweils 1–2 Stück Würfelzucker hineingeben und den heißen Kaffee durch ein Sieb dazugießen.

2 In jede Tasse ein Gläschen Rum gießen und ein Häubchen aus Sahne daraufsetzen. Heiß servieren.

Info: Besonders einfallsreich sind die Friesen bei der »Verhüllung« von alkoholischen Getränken. So verhindert beim »Pharisäer« die Sahnehaube, daß der Duft des Rums nach außen dringt – was einen Pfarrer bei der Entdeckung des Inhalts zu der Klage »Oh, ihr Pharisäer!« über seine Schäfchen bewogen und dem Getränk damit seinen Namen gegeben haben soll.

Kalte Ente

Aus Berlin

Getränk aus Zitrone, Weißwein und Sekt

Zutaten für 4 Portionen:
1 unbehandelte Zitrone
1 Flasche gut gekühlter trockener Moselwein · 3 EL Zucker
½ Flasche eisgekühlter trockener Sekt

Zubereitungszeit: 10 Min.
(+ 30 Min. Marinieren)
Pro Portion: 1100 kJ/260 kcal

1 Die Zitrone heiß abwaschen, die Schale hauchdünn in einem Stück abschälen und als Spirale in eine Bowlenschale hängen. Den Wein dazugießen und etwa 30 Min. ziehen lassen.

2 Dann den Zucker unter Rühren darin auflösen, die Zitrone auspressen, den Saft durch ein Sieb dazugießen und mit dem eiskalten Sekt auffüllen. Nach Belieben jeweils 1 Stück von der Zitronenspirale abschneiden und beim Eingießen in die Gläser geben.

Info: Die Bowle erfand General von Papo in Berlin, der sie 1870 erstmals als Abschluß eines Menüs auftragen ließ. Die Berliner machten aus dem »kalten Ende« eine »kalte Ente«.

Erdbeer-Bowle

Aus dem Rheinland · Gelingt leicht

Weingetränk mit Erdbeeren

Zutaten für 6 Portionen:
500 g kleine, voll ausgereifte Erdbeeren
nach Belieben: 100 g Zucker
2 Flaschen Rheinwein (möglichst Riesling Kabinett)
1 Flasche trockener Winzersekt

Zubereitungszeit: 15 Min.
(+ 1 Std. Marinieren)

Pro Portion: 1700 kJ/400 kcal

1 Die Erdbeeren waschen, den grünen Stengelansatz abdrehen, Früchte gut abtropfen lassen. In eine Bowlenschale geben und nach Belieben mit Zucker bestreuen, knapp mit Wein bedecken und etwa 1 Std. durchziehen lassen.

2 Kurz vor dem Servieren mit dem restlichen gut gekühlten Wein auffüllen, zuletzt den Sekt dazugießen. In Henkelgläser ausschenken, kleine Löffel oder Spießchen dazureichen, um die Erdbeeren herausfischen zu können.

Variante: Maibowle
Eine Handvoll Waldmeister, gut gewaschen, abgetropft und leicht angetrocknet (nur so entfaltet sich sein Aroma), an den Stengeln mit einem Faden zusammenbinden und in eine Bowlenschale, gefüllt mit 2–3 Flaschen Weißwein (halbtrocken oder mild), hängen, daß nur die Blätter in den Wein eintauchen. Höchstens ¼ Std. darin ziehen lassen, dann herausnehmen. Gut gekühlt servieren.

Kullerpfirsich

Gelingt leicht · Geht schnell

Pfirsiche in perlendem Sekt

Zutaten für 4 Portionen:
4 kleine aromatische Pfirsiche
1 Flasche gut gekühlter trockener Winzersekt

Zubereitungszeit: 10 Min.

Pro Portion: 1800 kJ/430 kcal

1 Die Pfirsiche waschen und gut trockenreiben. Mit einem Zahnstocher rundum viele kleine Löcher einstechen und in große bauchige Gläser legen. Mit Sekt vorsichtig aufgießen und sofort servieren. Nach kurzer Zeit beginnen die Pfirsiche, von den Kohlensäurebläschen »angetrieben«, sich im Glas zu drehen.

Variante: Pfirsich-Bowle
Dazu 4 Pfirsiche schälen, Fruchtfleisch in Spalten vom Kern schneiden. Pfirsichspalten in ein Bowlengefäß legen und mit 50 g Zucker bestreut Saft ziehen lassen. Dann eine Flasche Weißwein dazugießen, umrühren und mit einer Flasche Sekt auffüllen.

40%vol

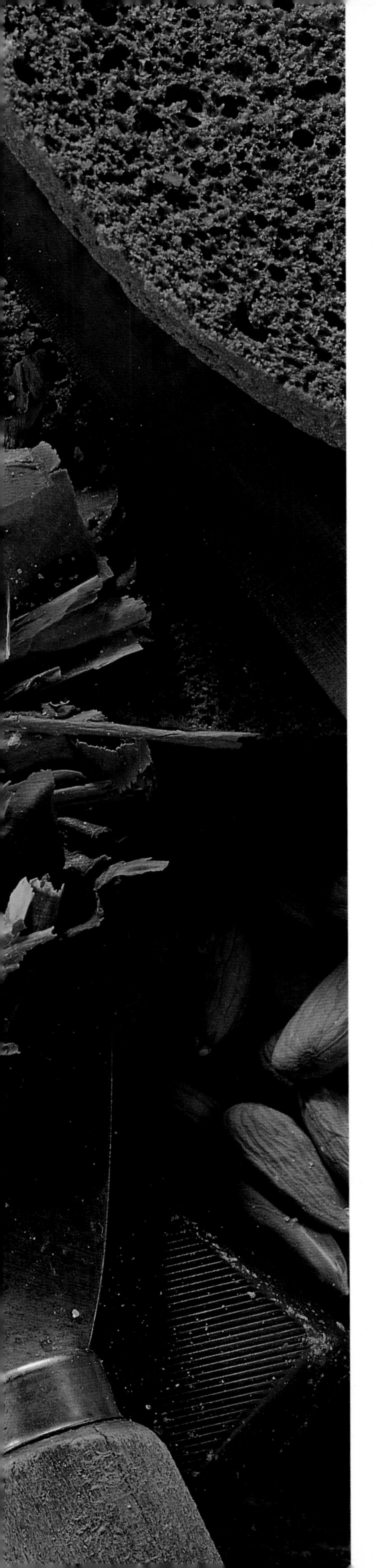

KUCHEN & TORTEN

Deutschland ist ein Kuchenland. Die meisten der süßen deutschen Gebäcke haben ihren Ursprung in alten Traditionen. Vor allem zu Weihnachten und zu Ostern wurde gebacken, aber auch für das Kirchweihfest, das in der Zeit nach der Ernte gefeiert wird. Früher war dies ein großes Fest für Dorf und Familie, aus dem erntefrischen Mehl wurden traditionelle Kuchen und Gebäcke hergestellt, um die ganze anreisende Verwandtschaft damit zu bewirten. Meist bestanden die riesigen Kuchen aus Hefeteig, wurden mit Obst – vor allem Äpfeln und Zwetschgen –, Butter oder Zuckerstreuseln bedeckt und auf großen Backblechen zum Bäcker gebracht, der sie in den Ofen schob. In Nordrhein-Westfalen werden sie »Platenkuchen«, in Sachsen »Blechkuchen«, in Bayern »Datschi« (vor allem in Verbindung mit Zwetschgen) genannt.

Besonders Sachsen und Thüringen gelten als sprichwörtliche »Kuchenländer«, in denen es kaum einen Tag gibt, an dem nicht zur nachmittäglichen Kaffeestunde ein frischer Kuchen, vor allem »Blechkuchen«, auf dem Tisch steht. Selten bleiben Reste davon übrig und wenn, so werden sie noch vor dem Schlafengehen aufgegessen. Die meisten Kuchenrezepte stammen wohl aus Leipzig, wo der Kaffeesieder Lehmann schon um 1700 das erste deutsche Kaffeehaus »Zum Kaffeebaum« eröffnet hat. Berühmt sind auch die sächsischen Christstollen, die von Mönchen schon vor über 500 Jahren aus Hefeteig in Form des in Windeln gewickelten Christkindes gebacken wurden.

Die sahnereichen Torten aus lockerem Biskuitteig sind eine jüngere Erscheinung und hängen wohl mit der Verfeinerung der Backkunst durch die Zuckerbäcker zusammen, die während ihrer Lehrjahre auch durch Italien kamen und sich später raffinierte Kunstwerke erdachten.

Schwarzwälder Kirschtorte

Aus Baden · Braucht etwas Zeit

Schokoladenbiskuit-Sahnetorte mit Kirschen und Kirschwasser

Zutaten für eine Springform von 26 cm Ø, für etwa 16 Stücke:

Für den Teig:

Fett für die Form · 6 Eier
1 Päckchen Vanillezucker
150 g Zucker · 75 g Mehl
1 TL Backpulver · 75 g Speisestärke
35 g Kakaopulver
75 g Haselnüsse, gemahlen

Für die Füllung:

500 g entsteinte Sauerkirschen, aus dem Glas
2 TL Gelatine, gemahlen
750 g Sahne · 2 EL Puderzucker
100 g Himbeerkonfitüre
9 EL Kirschwasser
50 g Schokoladenspäne

Zubereitungszeit: 1½ Std. (+ 30 Min. Backen + 12 Std. Abkühlen)

Pro Stück: 1500 kJ/360 kcal

1 Die Springform gut ausfetten. Backofen auf 180° vorheizen. Die Eier trennen. In einer Schüssel die Eigelbe mit 4 EL heißem Wasser dickschaumig schlagen. Den Vanillezucker und nach und nach die Hälfte der Zuckermenge unterrühren. Die Eiweiße zu Schnee schlagen, dabei den restlichen Zucker einrieseln lassen. Den Eischnee auf die Eigelbmasse häufen.

2 Mehl mit Backpulver, Speisestärke und Kakao in ein Sieb geben und über den Eierschaum sieben. Die Haselnüsse dazugeben und alles locker vermischen. Den Teig in die Springform füllen, Oberfläche glattstreichen, den Teigboden im Ofen (Mitte, Gas Stufe 2, Umluft 160°) etwa 30 Min. backen.

3 Etwas abkühlen lassen, den Ring von der Form abnehmen und den Boden am besten über Nacht völlig auskühlen lassen.

4 Am nächsten Tag den Teigboden waagrecht zweimal durchschneiden. Kirschen auf einem Sieb gut abtropfen lassen. Gelatine in einem kleinen Töpfchen mit 3 EL Wasser quellen lassen, dann bei schwacher Hitze auflösen. Die Sahne mit Puderzucker steif schlagen, die aufgelöste Gelatine untermischen.

5 Die Konfitüre durch ein Sieb streichen. Die untere Teigplatte mit 3 EL Kirschwasser beträufeln und mit der

Konfitüre bestreichen. Ein Viertel der Sahne darauf verteilen, mit knapp der Hälfte der Kirschen belegen.

6 Den zweiten Boden darauf setzen, mit 3 EL Kirschwasser beträufeln, mit dem zweiten Viertel Sahne bestreichen, mit den restlichen Kirschen belegen (aber 16 schöne zum Garnieren zurückbehalten). Den letzen Boden auflegen, mit dem restlichen Kirschwasser beträufeln und mit dem dritten Viertel Sahne bestreichen, die Oberfläche schön glattstreichen.

7 Mit der restlichen Sahne die Tortenränder bestreichen, mit einer Garnierspritze auf die Oberseite 16 Sahnetupfer setzen und mit je einer Kirsche belegen. Den Tortenrand und die Mitte der Oberseite mit Schokoladenspänen bestreuen. Nicht zu kalt servieren.

Info: Am Rande des Schwarzwalds zur Rheinebene hin blühen im Frühjahr Tausende von Kirschbäumen, allerdings vorwiegend Süßkirschen, aus denen auch das edle Kirschwasser, das »Chriesliwasser«, gebrannt wird. Daß für die »echte« Kirschtorte Sauerkirschen verwendet werden, läßt vermuten, daß dieses Rezept nicht ursprünglich aus dem Schwarzwald stammt. Mancher behauptet sogar, das Kirschwasser sei das einzige, was dieser Torte den Namen gegeben habe. Aber sie ist in unserem Jahrhundert zur typischen Spezialität geworden, die es im Badischen in jeder Konditorei und in jedem Cafe gibt.

Tip! Wichtig ist bei dieser Torte, daß der Teigboden bereits am Vortag gebacken wird und richtig auskühlen und etwas antrocknen kann – dann nimmt er das Kirschwasser besser auf, das den Boden richtig durchtränken muß. Eher mehr Kirschbranntwein nehmen als zu wenig, allerdings ist diese Torte dann keinesfalls für Kinder geeignet. Wenn Sie auf Alkohol verzichten wollen, tränken Sie einfach den Tortenboden mit dem Saft der Kirschen aus dem Glas.

Frankfurter Kranz

Aus Hessen · Etwas schwieriger

Biskuitring mit Buttercreme-Füllung

Zutaten für eine Kranz-Form von 26 cm Ø, für etwa 16 Stücke:

Für den Rührteig:
200 g weiche Butter
150 g feiner Zucker
1 unbehandelte Zitrone
Salz · 4 Eier
300 g Mehl
150 g Speisestärke
1 Päckchen Backpulver
Fett für die Form

Für die Buttercreme:
400 g weiche Butter
250 g Zucker
2 Päckchen Vanillezucker
4 ganz frische Eier

Zum Garnieren:
4 EL Johannisbeergelee
125 g gehackte Mandeln
1 EL Zucker
8 kandierte Kirschen
außerdem: gefettetes Pergamentpapier

Zubereitungszeit: 2 Std. (+ 45 Min. Backen + 12 Std. Abkühlen)

Pro Stück: 2500 kJ/600 kcal

1 Für den Teig die Butter in einer Schüssel schaumig rühren, den Zucker dazugeben und so lange rühren, bis er sich aufgelöst hat. Die Zitrone heiß waschen, trocknen, die Schale abreiben, die Frucht auspressen. Saft und Schale mit einer Prise Salz und den Eiern unterrühren.

2 Backofen auf 175° vorheizen. Mehl mit Speisestärke und Backpulver mischen, über die Creme sieben und unterrühren.

3 Die Kranz-Form gut ausfetten, den Teig einfüllen, im Ofen (Mitte, Gas Stufe 2, Umluft 160°) etwa 45 Min. backen. Die Form kurz abkühlen lassen, dann den Kranz auf ein Kuchengitter stürzen und – am besten über Nacht – völlig auskühlen lassen.

4 Am nächsten Tag für die Buttercreme Butter mit Zucker cremig rühren, Vanillezucker und die Eier dazugeben, zu einer schaumigen Masse schlagen. Etwa 15 Min. in den Kühlschrank stellen.

5 Den Kranz waagrecht zweimal durchschneiden, den unteren Ring auf eine Tortenplatte legen und mit dem Johannisbeergelee bestreichen, etwas Buttercreme darüber verteilen. Den nächsten Ring darauf legen, etwas andrücken, nur noch mit etwa einem Viertel der Buttercreme bestreichen und mit dem dritten Boden abdecken.

6 Dann den Kuchen mit der restlichen Buttercreme überziehen, dabei 4 EL Creme zum Verzieren aufheben. Kranz und die restliche Creme kühl stellen.

7 Für den Mandelkrokant die gehackten Mandeln in einem Töpfchen hellgelb rösten, 1 EL Zucker darüber streuen und karamelisieren lassen, sofort auf ein gefettetes Pergamentpapier streichen und erkalten lassen. Mit einem Teigroller zerkleinern.

8 Mit diesem Krokant den Kranz rundum bestreuen. Die zurückbehaltene Buttercreme in eine Garnierspritze füllen. Damit 16 kleine Tupfen auf die Kranzoberseite spritzen. Die kandierten Kirschen halbieren und auf jeden Cremetupfer eine Kirschenhälfte setzen. Bis zum Servieren kühl stellen.

Wichtiger Hinweis: Bitte verwenden Sie nur ganz frische Eier von freilaufenden Hühnern, um das Salmonellenrisiko zu verringern.

Variante: Dies ist eine sehr gehaltvolle Torte, die heute oft mit einer weniger fettreichen Creme gefüllt wird. Dafür ½ l Milch erhitzen, mit 80 g Zucker, 1 Päckchen Vanillezucker sowie 30 g angerührter Speisestärke aufkochen und unter gelegentlichem Rühren, damit sich keine Haut bildet, abkühlen lassen. 250 g weiche Butter schaumig-cremig rühren und die Vanillecreme nach und nach untermischen. Etwa 30 Min. kühl stellen.

Info: Auch in Thüringen gibt es eine ähnliche Kranztorte, die mit einer Schokoladen-Buttercreme gefüllt und mit Kuvertüre überzogen wird. Garniert wird mit Buttercremetupfen, kandierten Kirschen und am unteren Rand mit gerösteten Mandelblättchen.

Eierschecke

Aus Sachsen · Braucht etwas Zeit

Blechkuchen mit Quarkbelag und Buttercreme

Zutaten für zwei Backbleche von 35 x 40 cm, für 24 Stücke:

Für den Teig:
500 g Mehl
30 g Hefe
50 g Zucker
gut ¹/₄ l Milch
80 g weiche Butter
Salz
Fett für das Blech
Mehl zum Ausrollen

Für den Belag:
750 g Schichtkäse (oder Quark, 20 % Fett i. Tr.)
1 unbehandelte Zitrone
7 Eier · 350 g Zucker
1 Päckchen Vanillezucker
75 g Rosinen
150 g Mandelblättchen
250 g Butter

Zubereitungszeit: 1 Std. (+ 45 Min. Gehen lassen + 30 Min. Backen + 30 Min. Abkühlen)

Pro Stück: 1500 kJ/360 kcal

1 Für den Teig das Mehl in eine Schüssel sieben und eine Mulde eindrücken. Die Hefe hineinbröseln, mit 1 TL von dem Zucker und etwas Milch anrühren. Mit etwas Mehl bestäuben und etwa 15 Min. offen gehen lassen.

2 Den restlichen Zucker, die Butter, die übrige Milch und eine Prise Salz dazurühren, gründlich kneten und schlagen, bis ein geschmeidiger Teig entstanden ist. Zugedeckt an einem warmen Ort etwa 30 Min. gehen lassen.

3 Die zwei Backbleche ausfetten. Den Teig nochmals durchkneten und auf der mit Mehl bestreuten Arbeitsfläche in Größe der Bleche ausrollen, hineinlegen.

4 Für den Belag den Schichtkäse oder Quark gut abtropfen lassen. Die Zitrone heiß waschen, trocknen und die Schale abreiben. Schichtkäse mit 2 Eiern, 150 g Zucker, Zitronenschale und Vanillezucker verrühren. Auf den Hefeteig streichen.

5 Backofen auf 180° vorheizen. Die Rosinen heiß waschen, gut trocknen und über den Quarkbelag streuen, die Hälfte der Mandelblätter darüber verteilen.

6 Die Butter mit den übrigen 200 g Zucker kräftig dickschaumig rühren, die restlichen 5 Eier untermischen. Über den Kuchen verstreichen, die übrigen Mandeln darüber streuen. Im Ofen (Mitte, Gas Stufe 2, Umluft 160°) etwa 30 Min. backen.

7 Dann den Ofen ausschalten, die Backofentür einen Spalt öffnen und die Schecke etwa 30 Min. abkühlen lassen. Ganz ausgekühlt in Stücke schneiden.

Info: Wie alle sächsischen Kuchen ist eine Eierschecke üppig und gehaltvoll, aber auch sehr saftig. Auf Hefeteig wird ein Quark- oder Sauerrahmbelag gestrichen, darauf eine Buttercreme. Beide Belage vermischen sich zu einer scheckigen Kruste, daher der Name. Ebenso beliebt ist in Sachsen der Kleckselkuchen: Auf groß ausgerollten Hefeteig kommen dicke Kleckse von verschiedenen Füllungen, zum Beispiel knusprige Streusel neben saftiger Quarkmasse, Mohnfüllung neben Apfel, die dann gemeinsam gebacken werden. Jeder Gast kann sich unter den verschiedenen Stücken nach Geschmack eines aussuchen.

Bierewecke

Früchtebrot aus getrockneten Birnen

Aus Baden · Braucht Zeit

Zutaten für 2 Kastenformen von 30–35 cm Länge, für 2 Brote:
1 ½ kg getrocknete Birnenschnitze (Dörrbirnen)
750 g Weizenmehl
750 g Roggenmehl
2 Würfel Hefe (je 42 g)
375 g Haselnüsse, gemahlen
je 1 TL Anis, Zimt, Gewürznelken (gemahlen)
1 EL Salz
125 ml Kirschwasser (oder Obstler)
Fett für die Formen

Zubereitungszeit: 1 ¾ Std.
(+ 12 Std. Einweichen + 2 ½ Std. Gehen lassen + 1 ½ Std. Backen + 48 Std. Ruhen)

Pro Brot: 22000 kJ/5200 kcal

1 Die Birnenschnitze waschen, mit kochendem Wasser übergießen und über Nacht quellen lassen.

2 Am nächsten Tag die Birnen aus dem Saft heben und abtropfen lassen, den Saft aufheben. In einer großen Schüssel beide Mehlsorten mischen, eine Mulde eindrücken. Die Hefe zerbröckeln, mit etwas Birnensaft anrühren, in die Mehlmulde gießen und mit Mehl vom Rand bestreuen. Etwa 30 Min. offen gehen lassen.

3 Den Hefeansatz unter das Mehl mischen, dabei so viel von dem Birnensaft dazurühren, bis ein knetbarer Teig entsteht. Etwa 1 Std. zugedeckt an einem warmen Ort gehen lassen.

4 Birnenschnitze eventuell entstielen und kleinschneiden. Den Teig mit den Birnen, Haselnüssen, Gewürzen, Salz und Kirschwasser vermischen. Etwa 10 Min. kräftig kneten, dabei nach Bedarf noch weiteres Mehl dazugeben, bis ein fester Brotteig entsteht. In zwei gut gefettete Kastenformen füllen und nochmals gut 1 Std. zugedeckt an einem warmen Ort gehen lassen.

5 Backofen auf 180° vorheizen, die Brote im Ofen (unten, Gas Stufe 2, Umluft 160°) etwa 1½ Std. backen. Ab und zu mit dem Birnensaft bestreichen. Nach der Backzeit mit einem Holzstäbchen in ein Brot stechen, bleibt daran noch Teig hängen, müssen die Brote noch länger backen. Dann etwas abkühlen lassen, aus den Formen stürzen und 2 Tage offen ruhen lassen.

Dörrobst, Trockenobst

Ob Pflaumen, Birnen, Äpfel – viele Sorten Dörrobst schmecken köstlich.

Früher, als es im Winter noch keine Südfruchtimporte gab, gehörten Dörrobst und Trockenfrüchte zu den wichtigen Vorräten für die obstarme Jahreszeit. Im Herbst wurden Äpfel entkernt und in Scheiben geschnitten, die noch nicht ganz reifen Birnen (besonders geschätzt waren Pastorenbirnen) geviertelt und entkernt, und zusammen mit ganzen Zwetschgen entweder im eigenen Backofen oder im Dorfbackofen bzw. beim Bäcker auf einem Rost bei nicht zu starker Hitze angetrocknet (vorgedörrt). Das war wichtig, weil dem Obst schnell Wasser entzogen werden mußte, damit es nicht zu schimmeln begann. Danach wurde es in der Sonne oder in trockenen, warmen Räumen endgültig getrocknet. In luftdurchlässigen Säcken wurde schließlich der Vorrat an den Dachsparren im Speicher außerhalb der Reichweite von Mäusen, kleinen Kindern und anderen Schleckermäulern aufgehängt.

Nicht nur für Früchtebrot, sondern auch als Beilage zu Klößen und Knödeln, zu Fleisch und sogar Fisch wurde das Dörrobst verwendet, oft – wie weiter im Norden Deutschlands, wo man die Verbindung von Süße und pikantem Geschmack schätzt – mit Räucherspeck zusammen gekocht.

Rahmapfelkuchen

Aus dem Odenwald

Mürbeteigtorte mit Äpfeln und Sahneguß

Zutaten für eine Springform von 28 cm Ø, für 12 Stücke:

225 g Mehl
1 unbehandelte Zitrone
75 g Puderzucker
1 Eigelb
Salz
150 g Butter
850 g säuerliche Äpfel (z. B. Boskop)
200 g Zucker
Fett für die Form
35 g Speisestärke
500 g Sahne
2 Eier
1 Vanilleschote
30 g Mandelblättchen

Zubereitungszeit: 1 Std. (+ 30 Min. Kühlen + 35 Min. Backen + 4 Std. Abkühlen)

Pro Stück: 1900 kJ/450 kcal

1 Das Mehl in eine Schüssel sieben, in die Mitte eine Vertiefung drücken. Die Zitrone heiß abwaschen, trocknen und die Schale abreiben. Puderzucker, Eigelb, etwa 1 TL Zitronenschale, eine Prise Salz und die Butter in kleinen Stücken in die Mehlmulde geben, mischen und mit kühlen Händen rasch zu einem Mürbeteig kneten, etwa 30 Min. zugedeckt kühl stellen.

2 Für die Füllung die Äpfel schälen, vierteln, vom Kerngehäuse befreien, in dünne Spalten schneiden. Mit 50 g Zucker bestreuen. Die Springform einfetten.

3 Den gekühlten Teig auf der mit Mehl bestreuten Arbeitsfläche etwas größer als die Springform ausrollen, in die Form legen und einen Rand hochziehen.

4 Die Apfelspalten auf den Teig legen. Speisestärke mit etwas Wasser anrühren. Sahne, den restlichen Zucker, Eier, die restliche abgeriebene Zitronenschale und die angerührte Speisestärke in einem Topf verrühren.

5 Vanilleschote aufschlitzen, das Mark auskratzen und in die Sahne rühren, die ganze Schote dazugeben und bei mittlerer Hitze unter ständigem Rühren mit dem Schneebesen langsam erhitzen, aber nicht aufkochen, bis die Creme nach 10–15 Min. bindet.

6 Backofen auf 200° vorheizen. Die Vanillecreme unter gelegentlichem Rühren auf Handwärme abkühlen lassen, die Vanilleschote entfernen und die Creme über die Äpfel gießen.

7 Die Mandelblättchen über den Kuchen streuen. Im Backofen (Mitte, Gas Stufe 3, Umluft 180°) 30–35 Min. backen. Sobald die Oberfläche sich ganz wenig bräunt, ist der Kuchen fertig.

8 Den Kuchen aus dem Ofen nehmen, kurz abkühlen lassen, nach Belieben aus der Springform nehmen und auf einem Kuchengitter etwa 4 Std. ganz auskühlen lassen. Erst ausgekühlt in Stücke teilen.

Info: Der Odenwald im südlichen Hessen ist im östlichen Teil dicht bewaldet, im westlichen Teil in Senken und Tälern von Feldern durchsetzt. An der Westseite zum Rhein hin zieht sich die bekannte Bergstraße mit ihrem fast mediterranen Klima hin, die schon im zeitigen Frühjahr ein einziges Blütenmeer der Obstbäume bildet. Die später blühenden Apfelbäume des vorderen Odenwaldes liefern eher kleine, aber aromatische Äpfel, die zu Apfelwein gekeltert, zu Kompott verarbeitet oder eben in Kuchen verbacken werden. Einen einfachen Apfelkuchen aus Hefeteig mit Apfelschnitzen, mit wenig Zucker bestreut, gab es in den bäuerlichen Gebieten am Freitag zu einer dicken Gemüse-Kartoffelsuppe als Fastenspeise.

Nürnberger Lebkuchen

Weihnachtsgebäck

Gewürzte Honigkuchen auf Oblaten

Zutaten für 30 Lebkuchen:
4 Eier · 250 g flüssiger Honig
75 g Mandeln, gemahlen
je 75 g sehr fein gewürfeltes Orangeat und Zitronat
3/4 TL Hirschhornsalz
1/2 unbehandelte Zitrone
1/2 TL Zimt, gemahlen
1/2 TL Kardamom, gemahlen
je 1 Msp. Ingwer, Nelkenpulver und Muskatblüte (Macis)
250 g Weizenmehl (Type 550)
30 runde Oblaten (etwa 10 cm Ø)
Fett für das Backblech
100 g Puderzucker
100 g dunkle Kuvertüre

Zubereitungszeit: 55 Min.
(+ 12 Std. Ruhen + 1 Std. Trocknen + 1 Std. Backen)
Pro Portion: 460 kJ/110 kcal

1 Die Eier mit dem Honig dickcremig rühren, Mandeln, Orangeat und Zitronat untermischen. Das Hirschhornsalz in einigen Tropfen Wasser auflösen und dazugeben.

2 Zitrone heiß waschen, trocknen und die Schale abreiben. Die Gewürze und die Schale mit dem Mehl vermischen und unter die Eier-Honig-Masse rühren. Den Lebkuchenteig zugedeckt über Nacht kühl stellen.

3 Am nächsten Tag den Teig auf die Oblaten streichen. Auf zwei gefettete Backbleche legen und etwa 1 Std. offen antrocknen lassen. Nach etwa 45 Min. den Backofen auf 180° vorheizen.

4 Die Oblatenlebkuchen im Backofen (Mitte, Gas Stufe 2, Umluft 160°) nacheinander je etwa 30 Min. backen, herausnehmen, auf ein Kuchengitter setzen und abkühlen lassen. Nach dem Abkühlen für den Zuckerguß den Puderzucker mit ganz wenig Wasser dickcremig rühren, mit einem Pinsel auf die Hälfte der Lebkuchen streichen. Für den Schokoladenüberzug die Kuvertüre im Wasserbad schmelzen lassen und die restlichen Lebkuchen damit bepinseln.

Tip! Danach sollten die Lebkuchen noch zwei Wochen in einer Blechdose aufbewahrt werden, damit sie weich werden.

Thüringer Mohnkuchen

Gelingt leicht

Blechkuchen mit Mohnbelag

Zutaten für 12 Stücke:
500 g Mehl · 1 Würfel Hefe (42 g)
50 g Zucker · 1/4 l lauwarme Milch
50 g weiche Butter · 1 Ei
1 Prise Salz
Für den Belag:
1 Vanilleschote
1 l Milch · 250 g Mohn, gemahlen
125 g Grieß · 2 Eier
1/2 unbehandelte Zitrone
200 g Zucker
100 g gemahlene Mandeln
Mehl zum Ausrollen
Fett für das Backblech
75 g Puderzucker zum Bestäuben

Zubereitungszeit: 35 Min.
(+ 1 Std. Gehen lassen
+ 40 Min. Backen)
Pro Stück: 2400 kJ/570 kcal

1 Das Mehl in eine Schüssel sieben, eine Mulde eindrücken. Die Hefe hineinbröseln, mit 1 TL von dem Zucker und etwas Milch anrühren. Mit etwas Mehl bestreuen und etwa 15 Min. offen gehen lassen.

2 Den restlichen Zucker, die Butter, übrige Milch, das Ei und Salz dazurühren und gründlich kneten und schlagen, bis ein geschmeidiger Teig entstanden ist. Zugedeckt an einem warmen Ort etwa 30 Min. gehen lassen.

3 Für den Belag Vanilleschote aufschlitzen, das Mark auskratzen. Die Milch aufkochen, Mohn, Grieß, das ausgeschabte Vanillemark und die ganze Schote einrühren, bei schwächster Hitze etwa 30 Min. ausquellen lassen, die Vanilleschote entfernen. Eier trennen. Zitrone heiß waschen, trocknen, Schale abreiben und die Zitrone auspressen. Eigelbe mit Zucker, Mandeln, Zitronensaft und -schale unter die Mohnmasse rühren. Die Eiweiße steif schlagen, unterziehen.

4 Backofen auf 200° vorheizen. Ein Backblech ausfetten. Den Teig nochmals durchkneten und auf der mit Mehl bestreuten Arbeitsfläche in Größe des Blechs ausrollen, hineinlegen. Wieder etwa 15 Min. zugedeckt gehen lassen, dann die Mohnmasse darauf streichen.

5 Im Ofen (Mitte, Gas Stufe 3, Umluft 180°) etwa 40 Min. backen. Abkühlen lassen, in 12 Stücke schneiden und mit Puderzucker bestäuben.

Dresdner Stollen

Für Weihnachten · Braucht viel Zeit

Gewickelter Hefekuchen mit Früchten

Zutaten für 3 Stollen:
150 g Mandeln
100 g Zitronat · 100 g Orangeat
250 g Rosinen · 250 g Korinthen
100 ml Rum · 1,5 kg Mehl
120 g Hefe · 1/2 l Milch
125 g Zucker · 500 g Butter
1 TL Salz
Mehl zum Formen
Fett für das Backblech
Zum Bestreichen:
125 g Butter · 5 EL Zucker
2 Päckchen Vanillezucker
150 g Puderzucker

Zubereitungszeit: 1 1/2 Std.
(+ 12 Std. Ruhen + 1 1/2 Std. Gehen lassen + 3 Std. Backen)

Pro Stollen: 20000 kJ/4800 kcal

1 Am Vorabend Mandeln mit kochendem Wasser überbrühen und aus den Häutchen drücken. Dann Zitronat, Orangeat und Mandeln hacken, Rosinen und Korinthen waschen, trocknen. Alles mit dem Rum vermischen und zugedeckt zur Seite stellen.

2 Ebenfalls am Vorabend für den Hefeansatz das Mehl in eine große Schüssel sieben, in der Mitte eine Vertiefung eindrücken. Die Hefe mit 1/4 l Milch und 1 Prise Zucker anrühren, in die Mulde gießen. Etwas Mehl vom Rand darüber streuen und zugedeckt über Nacht warm stellen.

3 Am nächsten Tag die restliche Milch mit dem Zucker, der Butter und Salz leicht erwärmen (handwarm), zum Hefeansatz geben und kräftig kneten, bis sich der Teig von der Schüssel löst und Blasen wirft. Den Teig wieder zugedeckt 1 Std. an einem warmen Ort gehen lassen, bis sich das Volumen verdoppelt hat.

4 Die eingeweichten Früchte mitsamt dem Rum und den Mandeln unterkneten, den Teig in 3 Stücke teilen. Jedes Stück mit etwas Mehl zu einem länglichen Brot formen, an der Seite der Länge nach mit dem Teigroller eine Mulde eindrücken und den Teigrand zur typischen Stollenform überschlagen. Auf einer bemehlten Unterlage den Stollen zugedeckt nochmals etwa 30 Min. gehen lassen. Inzwischen den Backofen auf 200° vorheizen.

5 Das Backblech gut fetten und mit etwas Mehl bestreuen, nacheinander jeden Stollen etwa 1 Std. im Ofen (Mitte, Gas Stufe 3, Umluft 180°) backen. Nach etwa 30 Min. mit Alufolie abdecken. (Mit einem Holzstäbchen die Garprobe machen.)

6 Zum Bestreichen die Butter in einem Topf zerlassen, Zucker mit Vanillezucker mischen. Den fertigen Stollen noch heiß mit Butter bestreichen und mit dem Zuckergemisch bestreuen, nochmals mit Butter bestreichen. Zuletzt dick mit Puderzucker bestreuen. Am besten schmeckt der Stollen, wenn er noch einige Tage bis Wochen durchziehen kann.

Variante: Mandelstollen
Statt Orangeat, Rosinen und Korinthen gibt man 350 g Mandelstifte an den Teig, ansonsten ist die Zubereitung die gleiche.

Info: Die Vorbereitung für das Stollenbacken beginnt immer schon Wochen vor Weihnachten, damit sich das Aroma entfaltet. Die Butter-Zucker-Schicht verhindert das Austrocknen, so daß früher bis Ostern Stollen gegessen wurde. Backtrögeweise wurde das Mehl im Zimmer erwärmt, reihenweise Stollen geknetet und geformt und die Bleche zum Bäcker gebracht, der sie in den Ofen schob. Die ersten Stücke gab es Heiligabend zum Kaffee, denn Stollen ist das typische Weihnachtsgebäck: Seine Form soll an das gewickelte Christkind in der Krippe erinnern.

Typische Menüzusammenstellungen

Hier finden Sie Vorschläge, wie Sie die verschiedenen Speisen zu Menüs kombinieren können.
Ein typisch deutsches Menü besteht aus Suppe, Fleischgericht und Beilagen, Nachspeisen fallen oft weg oder bestehen aus einem einfachen Kompott. Warme Süßspeisen werden, vor allem im Süden Deutschlands, meist als Hauptgericht nach einer Gemüsesuppe gegessen. Zu den kleinen Gerichten passen immer Brot und Butter.
Weitere Menübestandteile, die in diesem Buch nicht als Rezepte auftauchen, die Sie aber ganz leicht selbst herstellen können, sind mit einem Sternchen versehen.

Schnelle Menüs

Badische Schneckensuppe 46
Kalbsleber Berliner Art 68
Eis mit Obst *

Obatzda 25
Saure Zipfel 37
Götterspeise 112

Rührei mit Nordsee-Krabben 32
Königsberger Klopse 66
Salzkartoffeln (Beilagen-Tip) 61
Schokoladeneis *

Schwammerl mit Knödeln 78
Bunter Salatteller *
Birnenkompott *

Kräutlsuppe 49
Himmel un Ährd 103
Frische Erdbeeren mit Sahne *

Pannekuche 98
Großer Salatteller *
Camembert mit Weintrauben *

Rinderbrühe *
Grünkohl mit Kasseler 84
Rote Grütze 110

Kräutlsuppe 49
Kartäuserklöße 108

Gemischter Salat *
Forelle in Riesling 53
Gedünstete Pfirsiche *

Preiswerte Menüs

Apfel-Zwiebel-Schmalz 25
Schwarzbrot *
Schellfisch mit Mostrich 56
Kirschkompott *

Usedomer Hühnersuppe 42
Lippischer Potthast 67
Pellkartoffeln *
Obstquark *

Suppe mit Schälklößen 44
Kalbsleber Berliner Art 68
Kartoffelpüree *
Welfencreme 116

Kräutlsuppe 49
Kaninchenpfeffer 68
Salzkartoffeln (Beilagen-Tip) 61
Rote Grütze 110

Kräutlsuppe 49
Dampfnudeln 103
Kalte Vanillesauce (Beilagen-Tip) 100

Salatplatte *
Himmel un Ährd 103
Bayerische Creme 114

Usedomer Hühnersuppe 42
Schnitzel »Holstein« 59
Götterspeise 112

Rinderbrühe mit Suppennudeln *
Römischkohl mit Frikadellen 85
Petersilienkartoffeln *
Eis mit Früchten *

Menüs, die sich gut vorbereiten lassen

Apfel-Zwiebel-Schmalz 25
Saure Zipfel 37
Bayerische Creme 114

Obatzda 25
Kirmes-Karpfen mit Klößen 54
Rote Grütze 110

Münsterländer Festsuppe 47
Westfälischer Sauerbraten 60
Himbeerquark *

Tomatensalat *
Teltower Rübchentopf 90
Schwarzer Magister 117

Lebernockerlsuppe 42
Schweinsbraten mit Knödeln 62
Mirabellenkompott *

Bunter Salatteller *
Lippischer Potthast 67
Vanillepudding *

Hühnerbrühe *
Kaninchenpfeffer 68
Obstsalat *

Thüringer Leberwurst sauer 30
Hannoversches Blindhuhn 86
Weintrauben *

Tomatensalat *
Weißkohl mit Hammelfleisch 88
Erdbeer-Bowle 121

Menüs, die besonders leicht gelingen

Thüringer Sauerkrautsuppe 40
Schellfisch mit Mostrich 56
Frischkäse mit Aprikosen *

Apfel-Zwiebel-Schmalz 25
Muscheln rheinische Art 57
Birnenkompott *

Usedomer Hühnersuppe 42
Kalbsleber Berliner Art 68
Götterspeise 112

Kräutlsuppe 49
Schnitzel »Holstein« 59
Himbeerquark *

Salatplatte *
Rumfordsuppe 83
Eis mit heißen Beeren *

Rührei mit Nordsee-Krabben 32
Römischkohl mit Frikadellen 85
Apfelkompott *

Grie Sooß' 27
Weißkohl mit Hammelfleisch 88
Obstsalat *

Gemischter Salat *
Königsberger Klopse 66
Rote Grütze 110

Sonntags-Klassiker

Krebse in Dillsauce 33
Vierländer Ente 72
Rote Grütze 110

Lebernockerlsuppe 42
Schweinsbraten mit Knödeln 62
Bayerische Creme 114

Usedomer Hühnersuppe 42
Kirmes-Karpfen mit Klößen 54
Quarkkeulchen 110

Badische Schneckensuppe 46
Hirschbraten mit Klößen 70
Gemischtes Eis *

Münsterländer Festsuppe 47
Westfälischer Sauerbraten 60
Götterspeise 112

Menüs für Gäste

Badische Schneckensuppe 46
Gefüllte Gans mit Blaukraut 73
Bayerische Creme 114

Grie Sooß' 27
Hirschbraten mit Klößen 70
Nußeis mit Sahne *

Hamburger Aalsuppe 49
Kükenragout in Krebssauce 34
Welfencreme 116

Rührei mit Nordsee-Krabben 32
Kasseler mit Pflaumen 65
Pharisäer 118

Münsterländer Töttchen 37
Kaninchenpfeffer 68
Götterspeise 112

Kräutlsuppe 49
Forelle in Riesling 53
Schwarzwälder Kirschtorte 124

Leipziger Allerlei 76
Schnitzel »Holstein« 59
Früchteteller *

Rindfleischsalat 28
Muscheln rheinische Art 57
Erdbeer-Bowle 121

Suppe mit Schälklößen 44
Vierländer Ente 72
Bayerische Creme 114

Ein deutsches Buffet

Obatzda 25
Apfel-Zwiebel-Schmalz 25
Schwarzbrot *
Soleier 26
Thüringer Leberwurst sauer 30
Schweinsbraten mit Knödeln 62
Münsterländer Töttchen 37
Bunter Salat *
Bayerische Creme 114
Frankfurter Kranz 127
Kalte Ente 121

Frühlingsmenüs:

Kräutlsuppe 49
Matjes mit grünen Bohnen 52
Neue Kartoffeln *
Welfencreme 116

Leipziger Allerlei 76 oder
Grie Sooß' 27
Kaninchenpfeffer 68
Frische Erdbeeren *

Sommermenüs:

Suppe mit Schälklößen 44
Forelle in Riesling 53
Kirschkompott *

Münsterländer Festsuppe 47
Königsberger Klopse 66
Salzkartoffeln (Beilagen-Tip) 61
Rote Grütze 110

Herbstmenüs:

Badische Schneckensuppe 46
Gefüllte Gans mit Blaukraut 73
Rahmapfelkuchen 132

Usedomer Hühnersuppe 42
Kirmes-Karpfen mit Klößen 54
Götterspeise 112

Wintermenüs:

Thüringer Sauerkrautsuppe 40
Kasseler mit Pflaumen 65
Pharisäer 118

Lebernockerlsuppe 42
Schellfisch mit Mostrich 56
Schwarzer Magister 117

Glossar

Äpfel: wichtigstes deutsches Obst. Leider sind die alten Apfelsorten wie Berlepsch, Goldparmänen oder Renetten selten geworden, da sie den Marktvorstellungen von Haltbarkeit und Transportfähigkeit nicht entsprechen. Am ehesten sind noch die Boskopäpfel zu finden, die sich für Kompott und zum Backen eignen.

Apfelwein: erfrischender, herb-saurer Wein aus Äpfeln, besonders in Hessen als »Ebbelwoi« beliebt. An den herben Geschmack muß man sich gewöhnen. Vor allem wirkt der Wein, in größeren Mengen genossen, auch sehr verdauungsfördernd. Der junge Apfelwein (Sauser oder Rauscher) prickelt noch durch seine Kohlensäure und ist mit Vorsicht zu genießen, denn auch seine Wirkung kann durchschlagend sein.

Berliner: eigentlich »Berliner Pfannkuchen«, runde Knödel aus Hefeteig, meist mit Marmelade gefüllt, werden in heißem Fett ausgebacken und mit Zucker bestreut.

Blutwurst: herzhafte Wurst aus Schweineblut und Speck, oft auch noch mit Fleischstücken oder Zungenwürfel darin. Die luftgetrocknete, ganz harte wird auch gebraten zu Kartoffelpüree und Sauerkraut gegessen.

Bratwurst: grob oder fein zerkleinertes Fleisch, in dünne oder sehr dünne Naturdärme gefüllt. In Bayern muß das keine Wurst zum Braten sein, denn der Name kommt von »Brät«, das bedeutet schieres (reines Muskel-)Fleisch.

Brühwürste: Unzählige Brühwurst-Sorten gibt es allein in Deutschlands Süden. Typische Vertreter sind → Fleischwurst, Stadtwurst, Gelbwurst, Schinkenwurst und die kleinen Würstchen wie Weißwürste, Regensburger, Wienerle, die alle aus rohem, fein zerkleinertem Schweinefleisch, Rindfleisch oder einer Mischung aus beiden, Speck und Gewürzen hergestellt und vorzugsweise in Naturdärme gefüllt werden. Danach werden sie in heißem Wasser gebrüht. Einige kommen noch in den Rauch, damit sie ihr herzhaftes Aroma und den knackigen Biß erhalten.

Dörrfleisch: rheinische und hessische Bezeichnung für durchwachsenen, gepökelten und kalt geräucherten (luftgetrockneten) Bauchspeck.

Dörrobst: S. 131

Essig: Der deutsche Essig ist selten ein reiner Weinessig, sondern meist eine Mischung aus neutralem Branntwein- und würzigem Weinessig. Er säuert viel weniger als italienischer oder französischer Weinessig und wird daher in größeren Mengen verwendet. Vor allem in Bayern beliebt ist Essig-Essenz, eine reine, konzentrierte Essigsäure, ebenfalls aus Branntwein gewonnen. Sie muß für Salate mit Wasser verdünnt werden.

Fleischwurst: wichtigste → Brühwurst, aus fein zerkleinertem Fleisch hergestellt und in mitteldicke Därme gefüllt. Sie wird warm gemacht und mit Senf zu Brötchen oder Kartoffeln gegessen, aber auch gebraten oder kalt in Scheiben geschnitten als Wurstsalat angemacht. In Bayern heißt sie »Lyoner«oder »Leoni«.

Frankfurter Würstchen: lange, schmale → Brühwürste aus bestem Schweinefleisch, in Naturdarm gefüllt und über Buchenholz geräuchert. Unter diesem Namen dürfen sie nur im Umkreis von Frankfurt am Main hergestellt werden, sonst heißen sie »Würstchen nach Frankfurter Art«.

Grieben, Grammeln: die beim Auslassen von fettem Speck entstehenden knusprigen Krusten.

Haxen: süddeutsche Bezeichnung für die Unterschenkel von Schwein oder Kalb, in Hessen »Haspel« genannt.

Kalbfleisch: S. 59

Kartoffeln: S. 104

Kletzenbrot: In Süddeutschland heißen die gedörrten Birnenschnitze »Kletzen«. Für einen winterlichen Früchtekuchen werden sie eingeweicht, unter Brotteig gemischt und mit dem Brot gebacken.

Knödelbrot: in Scheiben geschnittene altbackene Semmeln (Brötchen), die es in Süddeutschland für Semmelknödel in Bäckereien und Lebensmittelgeschäften fertig zu kaufen gibt.

Kompott: Gedünstete, gesüßte Früchte. Es ist in Deutschland als Beilage wie auch als Nachspeise beliebt.

Kraut: süddeutsch für Kohl, rheinisch für dunkel eingekochtes Fruchtmark oder Zuckerrübensirup (Apfelkraut, Rübenkraut).

Kümmel: Das sind die getrockneten Spaltfrüchte eines Gewürzkrautes. Beliebt für Sauerkraut, salzige Backwaren und Schweinefleisch. Auch gebräuchlich für einen mit diesem Gewürz destillierten klaren Schnaps.

Landjäger: auch Peitschenstecken genannt. Kantige, harte und lange haltbare Rohwurst aus Süddeutschland. Beliebt als Brotzeitwurst und Reiseproviant.

Leberkäs: bayerisches Nationalgericht. In fast allen Metzgereien gibt es täglich ab 10 Uhr warmen Leberkäs. Spötter nennen dieses preiswerte Brotzeitgericht auch »Beamtenschinken«. Erstaunlicherweise ist keine Leber darin enthalten, sondern der Name entstand aus »Loab«, Leib und »Käse« von der Brotform der bayerischen Käsesorten.

Leberwurst: S. 30

Lebkuchen: auch Pfefferkuchen genanntes weihnachtliches Gebäck aus

Nürnberg. Es wurde früher von frommen Mönchen als »Labekuchen« für die Armen gebacken. Bereits zu Beginn des 13. Jahrhunderts galt die Zunft der Pfefferküchler in Nürnberg als eine der angesehensten Gilden.

Majoran: in Deutschland nur einjährige Würzpflanze, vielseitiges Gewürz mit leicht pfeffrigem Geschmack, auch »Wurstkraut« genannt, da es ein sehr beliebtes Wurstgewürz ist.

Meerrettich: in alten Kochbüchern auch »Meerrettig« geschrieben, scharf-pikant schmeckende Wurzel. Sie wird frisch gerieben in helle Saucen oder geraspelt über gekochtes Fleisch gegeben.

Mostrich: Berliner Ausdruck für Senf.

Nudeln: Teigwaren aus Mehl-Eierteig, meist dünn ausgerollt und in Streifen geschnitten; in Süddeutschland auch Hefeteiggebäck, das als Fastenspeise auf den Tisch kam (Rohrnudeln, Ofennudeln).

Obstler: im Allgäu und um den Bodensee ein beliebter klarer Schnaps mit hohem Alkoholgehalt aus verschiedenen Obstsorten. Eiskalt aus kleinen Zinnbechern zu trinken.

Öl: Da in den nördlichen Ländern kaum Ölfrüchte gedeihen, spielte das Öl früher in der Küche nur eine untergeordnete Rolle, das Schmalz war das bevorzugte Fett zum Kochen und Backen. Deshalb gibt es noch alte Salatrezepte, bei denen ausgelassener Speck zum Anmachen verwendet wird. Nur aus Leinsaat, Nüssen und Bucheckern konnte ein Öl gewonnen werden, später kam dann das Sonnenblumenöl dazu. Heute spielt das Rapsöl als Speiseöl eine wichtige Rolle.

Piment: auch Nelkenpfeffer genannt, pfefferähnliche Gewürzkörner, die nach Pfeffer, Nelken und Zimt schmecken. Wichtig für Essigmarinaden, Fisch, Fleisch und dunkle Saucen.

Pumpernickel: S. 113

Rahm: süddeutscher Name für süße Sahne.

Sauerkraut: S. 41

Saumagen: Pfälzer Spezialität. Ein ganzer Schweinemagen wird mit Fleisch, Speck und Kartoffeln gefüllt und gekocht, dann im Ofen gebacken.

Schinken: wird klassisch aus dem Hinterschenkel des Schweins zubereitet. Vom Holsteiner bis zum Schwarzwälder Schinken gibt es eine Vielzahl regionaler Zubereitungsarten, typisch wird der ganze oder ausgebeinte Schinken trocken (mit Salz) oder naß (in Lake) gepökelt und gewürzt, dann an der Luft getrocknet und/oder geräuchert. Der Geschmack dieser rohen Schinken reicht von mild bis herzhaft-pikant.

Schmant, Schmand: stichfeste säuerliche (Oberhessen) oder süße (Ostpreußen) fette Sahne.

Senf: wichtige deutsche Würze aus gemahlenen oder geschroteten Senfkörnern mit Essig und Gewürzen. Überall bekannt ist der scharfe Düsseldorfer Senf, der Berliner Mostrich und der grobkörnige bayerische süße Senf, der zu Weißwürsten gegessen wird.

Spargel: Feingemüse, das vor allem in der Rheinebene, auf den sandigen Böden von Nordrhein-Westfalen und um Schrobenhausen in Bayern angebaut wird. Spargelsaison ist von Mai bis zum Johannistag im Juni. Die Spargelstangen werden etwa 2 cm unterhalb des Kopfes beginnend zum Ende hin mit einem Spargelschäler geschält, dann in reichlich kochendem Salzwasser je nach Dicke der Stangen 15–20 Min. gekocht. Am klassischsten wird der abgetropfte Spargel mit zerlassener Butter oder Béchamelsauce serviert.

Speck: Heute ist damit meist Bauchspeck gemeint, der gesalzen oder gepökelt und leicht geräuchert oder luftgetrocknet wird. Der »fette Speck« aus dem Rücken des Schweins ist nicht von Fleischlagen durchzogen und wird mit oder ohne Schwarte gesalzen und meist leicht geräuchert. Gewürfelt und bei nicht zu starker Hitze ausgelassen, ergibt er Griebenschmalz (→ Grieben), das durch ein Sieb gegossen früher das übliche Brat- und Backfett war.

Teltower Rübchen: S. 90

Thüringer Rostbratwürste: lange Würste aus Kalbfleisch mit Schweinebauch hergestellt und pikant gewürzt. Werden mehrfach eingeschnitten über Holzkohle und Kiefernzapfen überall in Thüringen gegrillt. Man ißt sie auf einem zusammengeklappten Brötchen.

Weißwurst: Münchner Spezialität. Etwas dickere weiße Würste, die aus zerkleinertem Fleisch (früher nur aus magerem Kalbfleisch, heute auch mit Schweinefleisch), Kalbskopf und Rückenspeck hergestellt werden. Man gart sie in heißem Wasser und ißt sie mit süßem Senf und Brezen als Brotzeit.

Wollwürste: bayerische und fränkische Spezialität. Fleischbrät wie zu →Weißwürsten wird ohne Haut (daher auch »Nackerte« genannt) geformt, dann in der Pfanne gebraten.

Abkürzungen:

TL = Teelöffel

EL = Eßlöffel

Msp. = Messerspitze

KJ = Kilojoule

kcal = Kilokalorie

Rezept- und Sachregister

Umschlag-Vorderseite: Das Bild zeigt eine gefüllte Gans mit Blaukraut (S. 73) und Kartoffelknödel (S. 62).

Die Bilder ohne Bildunterschriften zeigen:
Die Fotos auf S. 4/5 von links nach rechts im Uhrzeigersinn: Ein Strand auf Rügen (Bild 1), Kinder in Tracht (Bild 2), Brauereipferde (Bild 3), ein Koch in Sulzburg (Bild 4), ein Fachwerkhaus am Bodensee (Bild 5), ein Bauer mit Rüben (Bild 6), die Fähre vor Lorch (Bild 7), ein Bäcker in Baden-Württemberg (Bild 8).
Das Foto auf S. 8/9 zeigt die Reichsburg bei Cochem. Auf der Rückseite ist das Kettenkarussell auf dem Oktoberfest in München zu sehen.

Reinhardt Hess
ist zwischen Odenwald und Bergstraße, zwischen Riesling und Spargel aufgewachsen und hat schon früh in die Kochtöpfe seiner Großmutter geschaut. Während seines Geographiestudiums lernte er nicht nur viele Regionalküchen in Deutschland kennen, sondern auch die landwirtschaftlichen Grundlagen und Besonderheiten der verschiedenen Regionen. Nach dem Studium arbeitete er als Redakteur bei der größten deutschen Zeitschrift für Essen und Trinken sowie in Buchverlagen. Er schreibt nun Kochbücher und steht dabei selbst in der Küche, um gesammelte Originalrezepte und eigene Ideen auszuprobieren.

FoodPhotography Eising
wird von Susie und Pete Eising geleitet. Sie studierten an der Fachakademie für Fotodesign in München und widmeten sich schon bald nach dem Studium ihrer gemeinsamen Passion für Eßkultur und Kochkunst. 1981 gründeten sie ihr eigenes Fotostudio für Foodfotografie. Auf zahlreichen Reisen vertieften sie ihre Kenntnisse über Küche und Kultur anderer Länder und setzten ihre Eindrücke und Erfahrungen immer neu bei der Gestaltung und Realisierung ihrer Foodaufnahmen ein. Martina Görlach gehört schon seit vielen Jahren zum Team. Ulla Krause war bei diesem Buch zuständig für die Requisite. Die Aufnahmen für dieses Buch fotografierte Susie Eising. Fotografiert wurde auf Agfachrome 100 RS.

Peter Koch
wurde 1943 in Danzig geboren. Seit 1945 lebt er in Hamburg, wo er in den sechziger Jahren die Kunstschule Alsterdamm besuchte. Nach seinem Abschluß als Grafikdesigner arbeitete er von 1969 bis 1976 in einer Werbeagentur. Seither ist der vielseitige Künstler als freier Illustrator tätig.

Dankeschön:
Für die Bereitstellung von Requisiten danken wir folgenden Firmen:
Kochgut, München
Gebr. Reiner, Krumbach
Steigerwald, München
Fürstenberg, Fürstenberg an der Weser
KPM, Berlin
A. Merten Witwe, Solingen

Bildnachweis
Titelbild und Rezeptfotos: FoodPhotography Eising.
Die Fotografen der Bilder im Inhaltsverzeichnis, des Kapitels »Land und Leute laden ein« und der Produktinformationen nachstehend in alphabetischer Reihenfolge:
Gesche M. Cordes, Hamburg: S. 4 (Bild 2), S. 13, S. 18 (unten)
jd/Dziemballa, München: Rückseite
Beat Ernst, Basel: S. 41, 104
FoodPhotography Eising, München: S. 30, 59, 113, 131
Uli Franz/jd, München: S. 5 (Bild 3), 12 (2), 20 (unten)
Rainer Hackenberg, Köln: S. 15 (2)
Volkmar Janicke/jd, München: S. 14, 16 (unten), 19 (oben)
Klaus D. Neumann, München: S. 21 (oben)
Werner Neumeister, München: S. 20 (oben)
Erhard Pansegrau: S. 4 (Bild 1, 7), 8/9, 10 (2), 11 (oben), 17
Werner Richner, Saarlouis: S. 4 (Bild 5, 6, 8), 16 (oben)
Paul Spierenburg, Kiel: S. 5 (Bild 4), 21 (unten)
Thomas Stankiewicz, München: S. 11 (unten), 19 (unten)
Stock Food Eising, München, S. 90
Thomas P. Widmann, Regensburg: S. 18 (oben)

Impressum

Redaktion: Dr. Stephanie von Werz-Kovacs
Lektorat: Angela Hermann
Versuchsküche: Barbara Hagmann, Traute Hatterscheid, Dorothea Henghuber, Christa Konrad-Seiter, Marianne Obermayr
Illustrationen: Peter Koch
Rezeptfotos: FoodPhotography Eising
Satz (DTP) und Herstellung: BuchHaus.Robert Gigler.GmbH
Gestaltung: Konstantin Kern
Kartografie: Huber
Reproduktionen: Fotolito Longo, Bozen
Druck und Bindung: A. Mondadori Editore, Verona
ISBN: 3-7742-2339-4
Auflage 5 4 3 2 1
Jahr 99 98 97 96 95